D1092682

100

PARAÍSOS SUBMARINOS

Las mejores zonas de buceo de todo el mundo

D1092682

Esta edición ha sido publicada en 2010

Copyright©Parragon Books Ltd.

Idea: LKO Verlagsgesellschaft mbH, Colonia

Producción y redacción gráfica: Inga Menkhoff, Colonia

Todos los derechos reservados. Ninguna parte de esta obra puede ser reproducida, almacenada o transmitida de forma o medio alguno, sea éste electrónico, mecánico, por fotocopia, grabación o cualquier otro, sin la previa autorización de los titulares de los derechos.

Copyright © de la edición en español 2010:
Parragon Books Ltd
Queen Street House
4 Queen Street
Bath BA1 1HE
Reino Unido

Traducción del inglés: Francisco Caro para LocTeam, Barcelona
Redacción y maquetación de la edición en español: LocTeam, Barcelona

ISBN 978-1-4075-7284-0

Impreso en China
Printed in China

Créditos fotográficos:

Fotos © Paul Munzinger, www.uw-media.de

p. 23 arriba © Heike Merz, www.nauticteam.com
pp. 26/27 © Ingo Vollmer, www.marlin.de
p. 39 © Waltraud Binanzer, www.dietaucher.com
p. 143 arriba © Craig «Monty» Sheppard, www.bilikiki.com
p. 144 © Helmut Debelius
p. 146 © Horst Ringeisen
p. 147 arriba © www.moorea-fundive.com
p. 147 abajo © www.bigstockphoto.com
pp. 153 abajo y 155 abajo © Courtesy of Tourism Queensland
p. 156 © Gerald Nowak
pp. 162/163 © www.underseahunter.com
p. 182 izquierda © Ty Sawyer

Aclaración de las indicaciones de las fichas:

❖ **Dificultad:** ▩ (= poca) – ▩▩▩▩▩ (= mucha)

❖ **Diversidad de corales:** ▩ (= poca) – ▩▩▩▩▩ (= mucha)

❖ **Diversidad de peces:** ▩ (= poca) – ▩▩▩▩▩ (= mucha)

❖ **Peces grandes:** ▩ (= pocos) – ▩▩▩▩▩ (= muchos)

❖ **Pecios:** ▩ (= pocos) – ▩▩▩▩▩ (= muchos)

❖ **Cuevas:** ▩ (= pocas) – ▩▩▩▩▩ (= muchas)

❖ **Paredes:** ▩ (= pocas) – ▩▩▩▩▩ (= muchas)

❖ **Buceo con esnórquel:** ▩ (= pocas posibilidades) – ▩▩▩▩▩ (= muchas posibilidades)

100

PARAÍSOS SUBMARINOS

Las mejores zonas de buceo de todo el mundo

PAUL MUNZINGER

Bath · New York · Singapore · Hong Kong · Cologne · Delhi · Melbourne

Índice

Prólogo

Elegir las 100 mejores regiones de buceo no es tarea fácil si consideramos que más de un tercio de la superficie de nuestro planeta está cubierto de océanos. Sólo el pequeño mar Mediterráneo tiene una extensión de más de tres millones de kilómetros cuadrados y en su fondo se hallan innumerables pecios. Indonesia alberga más de 18.000 islas con maravillosas paredes llenas de corales. El Caribe cuenta con 36 archipiélagos y, ¿quién se ha puesto a contar los innumerables atolones y arrecifes del Pacífico?

Hay fantásticos puntos de inmersión por todo el mundo y cada uno es diferente y tiene su propio encanto. Campos de ánforas y pecios cargados de historia ofrecen interesantes experiencias submarinas. Los encuentros con peces grandes como el tiburón blanco son para unos un sueño, para otros una pesadilla. Las cuevas y grutas fascinan a muchos y quien sienta miedo de los espacios cerrados, puede bucear junto a infinitas paredes o exuberantes formaciones coralinas tropicales.

Al seleccionar las mejores regiones de buceo, se han tenido en cuenta diversos criterios. Para que un arrecife pueda considerarse entre los mejores y más hermosos lugares de buceo, su flora y fauna submarinas deben ser excepcionales y variadas. Por desgracia, el progresivo cambio climático y el consiguiente aumento de la temperatura de los mares también afectan a los arrecifes. Con el paso del tiempo, el blanqueo del coral y la lenta degradación de los arrecifes han convertido algunos paisajes maravillosos en desiertos submarinos.

La calidad del agua también es un factor determinante, tanto en el mar helado de Groenlandia, como en las regiones tropicales o en los muchos lagos y ríos que, por cierto, todavía no reciben la atención que merecen por parte de muchos buceadores. Lo excepcional puede encontrarse casi en cualquier lugar y este libro se encarga de indicarle concretamente dónde. Los puntos de inmersión aquí reunidos son lo más heterogéneos posible, con la idea de que sean atractivos para el principiante y ofrezcan alternativas al experto. Descubra las maravillas de los mares sumergiéndose en el fantástico mundo escondido bajo las olas. Le esperan aventuras que nunca olvidará.

El Atlántico, el segundo océano más grande del mundo, se extiende de norte a sur desde el Ártico hasta el Antártico en el espacio comprendido entre las costas orientales de América y las costas occidentales de Europa y África. Se caracteriza por la riqueza de su flora y fauna, siendo el mundo coralino menos variado en comparación. Los destinos de buceo más anhelados se encuentran en uno de sus mares adyacentes, el mar Mediterráneo.

EL ATLÁNTICO

Y MARES ADYACENTES

Islas de Hyères

EL ARCHIPIÉLAGO DE LAS ISLAS DE HYÈRES, EN LA COSTA AZUL, ESCONDE UN PARAÍSO SUBMARINO. AQUÍ NO SÓLO SE ENCUENTRA LA CUNA DEL BUCEO DEPORTIVO SINO TAMBIÉN PORT-CROS, UN EMBLEMÁTICO PARQUE NACIONAL MARINO Y UN GIGANTESCO CEMENTERIO DE BARCOS.

La Costa Azul ha hecho historia submarina. El pionero del buceo austriaco Hans Hass se sumergió por primera vez bajo las olas en la llamada Riviera Francesa en la década de 1930, y su colega Jacques-Yves Cousteau desarrolló aquí junto a Émile Gagnan el primer regulador de buceo.

Repleto en toda su extensión de excelentes destinos de buceo, el segmento costero que se extiende desde Marsella hasta Monte Carlo es un lugar legendario para los buceadores. El corazón del buceo del litoral francés late sin duda en el archipiélago de las islas de Hyères, a menos de 50 kilómetros al este de Tolón.

Las tres islas principales, Porquerolles, Port-Cros y Levante, están al este de la península de Giens. Aquí se han establecido varias bases de buceo desde las que zarpan barcos cada mañana con destino a más de 40 puntos de inmersión en torno a la península y al pequeño archipiélago. La mayoría ponen rumbo a la isla de Porquerolles y a la popular reserva natural de Port-Cros, impregnada de aires caribeños.

Junto al islote de La Gabinière se disfruta de una atracción muy especial: varias docenas de meros viven en torno a estas rocas y el más viejo de ellos mide 1,5 metros. El punto de inmersión Sec de la Gabinière fascina con densos bosques de gorgonias rojas, enormes brótolas y gruesos congrios. Los innumerables barcos y aviones hundidos son naturalmente lugares de visita obligados.

Islas de Hyères

- ❖ **Profundidad:** 15-55 m
- ❖ **Visibilidad:** 12-30 m
- ❖ **Temperatura del agua:** 14-23 °C
- ❖ **Mejor época del año:** mayo-oct.
- ❖ **Dificultad:** ■–■■■■■
- ❖ **Diversidad de corales:** ■■■
- ❖ **Diversidad de peces:** ■■■
- ❖ **Peces grandes:** ■■■
- ❖ **Pecios:** ■■■■■
- ❖ **Cuevas:** ■
- ❖ **Paredes:** ■■■
- ❖ **Buceo con esnórquel:** ■■■, Port-Cros: ■■■■

Si el tiempo acompaña y se dispone de la experiencia necesaria, no hay que perderse en ningún caso el *Donator* (máx. 52 metros de profundidad) y el *Le Grec* (máx. 47 metros de profundidad). Ambos cargueros perecieron víctimas de minas submarinas a finales de la Segunda Guerra Mundial. No lejos el uno del otro, están situados entre Porquerolles y Port-Cros, al sudeste del islote Petit Sarranier, en una zona ideal para realizar inmersiones. En el entorno también pueden visitarse el *Pecio de los Congrios*, el *Ville de Grasse*, el *Rubis*, el *Michel C*, un Heinkel y un Mustang.

Considerando lo impresionante que es sumergirse hoy en el entorno de las islas de Hyères, es difícil imaginarse el aspecto tan diferente que tenía la zona no hace mucho. A principios de la década de 1980, las aguas estaban contaminadas y presentaban sobreexplotación pesquera. Los buceadores no podían ver nada y además todo era muy caro. De ahí la marcha colectiva de entonces al mar Rojo. No puede decirse que la Costa Azul se haya vuelto un destino económico pero, gracias a la aplicación de estrictas leyes, el mar vuelve a estar limpio y tiene mucho que ofrecer bajo su superficie.

Página contigua: La popa con la superestructura del *Le Grec*

Arriba: Gorgonias rojas y verdes en el Sec du Sarranier

Abajo: Aproximadamente una docena de meros viven en torno al islote de La Gabinière

Costa Brava

DISTRIBUIDOS EN UNOS 160 KILÓMETROS DE FRANJA LITORAL, EXCELENTES PUNTOS DE INMERSIÓN ABUNDAN EN LA COSTA BRAVA. LA «COSTA SALVAJE» SEDUCE CON DOS PARQUES MARINOS QUE CONVIERTEN ESTE ENTORNO EN LA MECA DEL BUCEO EN EL MARE NOSTRUM.

Perteneciente a la comunidad autónoma de Cataluña, la Costa Brava se extiende desde Blanes hasta la frontera francoespañola, junto a Portbou. El escritor Ferran Agulló acuñó el nombre de esta franja costera en 1908. Con «brava» aludía sobre todo a las insólitas y a veces abruptas costas rocosas de la península del Cap de Creus, en el norte, así como al litoral del Cap de Begur, más al sur. Estos lugares de paisaje agreste son en la actualidad muy populares entre los buceadores. Ubicados entre ambos cabos se encuentran antiguos pueblos pesqueros que se han convertido en centros turísticos con el paso de los años.

La ciudad de Roses y el Parque Natural del Cap de Creus conforman el centro del buceo deportivo del norte de la Costa Brava. Los entendidos sienten especial atracción por los puntos de inmersión del Cap Norfeu, como El Gat, Trencat o La Rata, accesibles desde bases de buceo de Roses, Cala Jóncols o Cadaqués. La Rata o Massa d'Or es el enclave preferido de la Costa Brava entre los buceadores. Sin embargo, a causa del frecuente mal tiempo, los desplazamientos a La Rata no son usuales y las inmersiones están reservadas a buceadores con experiencia. Los lugares del norte ofrecen un nutrido repertorio marino a base de bosques de gorgonias, pulpos, langostas, congrios, cabrachos, meros e incluso corales rojos.

En el sur, los acuanautas se concentran en la ciudad de L'Estartit y las islas Medas, situadas enfrente y protegidas como reserva natural. Entre las islas y

Costa Brava

Sant Feliu de Guíxols hay numerosos y excelentes puntos de inmersión. Tras prohibirse el arpón, enormes meros han encontrado su hábitat en torno a las islas. Asimismo, las langostas gozan aquí de un estado de protección especial. En las cuevas y grutas es habitual encontrar «oro rojo» bajo salientes (los corales rojos que pueden alcanzar el tamaño de una mano están protegidos y no pueden tocarse).

Más al sur, frente a Tamariu, prosperan apiñados los abanicos de mar más espectaculares de todo el Mediterráneo. Peces tres colas e incluso peces de San Pedro se deslizan entre los abanicos rojos y amarillos. En la bahía de Tamariu pueden verse caballitos de mar, agujas mula, arañas, rubios y tiesos. Esta biodiversidad no sólo ha ayudado a que proliferen las bases de buceo a pesar del mal tiempo, sino también a que la zona adquiera un enorme interés para los biólogos.

Con sus dos increíbles regiones de buceo al norte y al sur, la Costa Brava ha contribuido decisivamente al renacimiento del mar Mediterráneo.

Página contigua: Un pulpo se esconde hábilmente ante la presencia de los buceadores

Arriba: Congrio en la Cala Jóncols

Abajo: Maravillosa pared de coral en Tamariu

② FICHA

❖ **Profundidad:** 5-40 m

❖ **Visibilidad:** 10-30 m

❖ **Temperatura del agua:** 14-24 °C

❖ **Mejor época del año:** mayo-oct.

❖ **Dificultad:** ■-■■■

❖ **Diversidad de corales:** ■■■■

❖ **Diversidad de peces:** ■■■■

❖ **Peces grandes:** ■■■

❖ **Pecios:** ■■

❖ **Cuevas:** ■■■

❖ **Paredes:** ■■■■

❖ **Buceo con esnórquel:** ■■■■

Mallorca

MALLORCA, LA MAYOR ISLA DEL ARCHIPIÉLAGO BALEAR, DISPONE DE CASI TRES DOCENAS DE BASES DE BUCEO. A MENORCA, IBIZA Y FORMENTERA SE LES AÑADEN OTRAS 25 A LA LISTA: UN VERDADERO PARAÍSO PARA SUBMARINISTAS.

Mallorca ●

Página contigua: Ancla maravillosamente decorada en la Punta Galinda, junto a Port Andratx

Arriba: El serrano se esconde en las cuevas y los huecos de la roca

En el centro: El congrio tiene una gran habilidad para ocultarse por lo que resulta más difícil de ver

Abajo: Cuando se siente molestada, la anémona tubo se retrae con rapidez

③ FICHA

❖ **Profundidad:** 5-40 m

❖ **Visibilidad:** 15-35 m

❖ **Temperatura del agua:** 14-28 °C

❖ **Mejor época del año:** marzo-nov.

❖ **Dificultad:** ■–■■■■■

❖ **Diversidad de corales:** ■■■

❖ **Diversidad de peces:** ■■■■

❖ **Peces grandes:** ■■■

❖ **Pecios:** ■

❖ **Cuevas:** ■■■■■

❖ **Paredes:** ■■■■

❖ **Buceo con esnórquel:** ■■■

Las Baleares son uno de los destinos vacacionales más populares del mundo. Se encuentran al oeste del Mediterráneo, a entre 90 y 200 kilómetros de distancia de la península Ibérica. Millones de turistas europeos visitan cada año las islas, que ofrecen mucho más que playas de palmeras y diversión nocturna. Así, no sorprende que algunas bases de buceo internacionales se hayan establecido en sus quebradas líneas costeras.

Las zonas de buceo de Mallorca son muy populares, sobre todo las del sudoeste, sudeste y nordeste. Sa Dragonera, ubicada en la esquina sudoeste, está protegida por su patrimonio natural y es un secreto bien guardado entre los buceadores. Hasta aquí puede llegarse rápidamente desde las bases situadas cerca de Port Andratx y San Telmo.

En Sa Dragonera, la península de La Mola y el Cap des Llamp hay suficientes motivos para completar un álbum ilustrado de la flora y fauna del Mediterráneo. La ictiofauna es mayor entre abril y julio. Además de corales, situados a unos 40 metros de profundidad, hay paredes y salientes cubiertos de anémonas amarillas incrustantes. Las grutas y cuevas como la K 6 o La Catedral, con sus maravillosas formaciones calcáreas, enriquecen el paisaje subacuático. Los buceadores con experiencia en cuevas pueden emerger en dos cavidades con aire y admirar las estalactitas y estalagmitas. Además de más de 40 interesantes lugares de inmersión, el sudoeste esconde también dos barcos hundidos: aunque requieren cierta experiencia, el *MS Goggi III* y el *MS Josephin* no deben faltar en el cuaderno de bitácora.

En el noroeste de Mallorca se encuentra Cala Ratjada, con paredes de 10 a 38 metros de profundidad, cañones cubiertos de vida y la impresionante Catedral de Jaime, una grandiosa cueva descubierta en 1970. Las rayas, los atunes y las barracudas han encontrado su hábitat en estas aguas, bastante transparentes debido a que tienen poco plancton.

En la Cala d'Or, al sudeste de la isla, existen casi 40 lugares de inmersión con atracciones para todos los gustos: desde arrecifes hasta cuevas. Son incontables los excelentes puntos de inmersión que se pueden encontrar en Mallorca. Tampoco hay que olvidar las islas vecinas: cada una de ellas merecería una visita para explorar sus aguas.

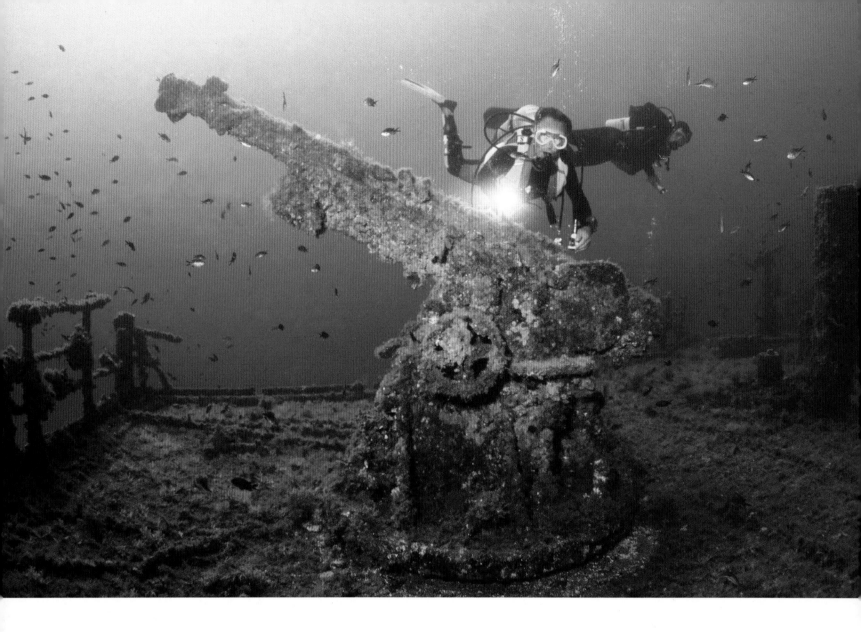

Cala Gonone

LA PEQUEÑA LOCALIDAD COSTERA DE CALA GONONE ESTÁ SITUADA EN EL GOLFO DE OROSEI, EN LA COSTA ORIENTAL DE CERDEÑA. LAS GRUTAS Y CUEVAS SUBMARINAS DEL ENTORNO SON DE LAS MÁS HERMOSAS QUE PUEDEN ENCONTRARSE EN EL MAR MEDITERRÁNEO.

El agua es tan clara que, si el mar está en calma, el pecio puede verse desde la superficie, dispuesto verticalmente sobre el fondo arenoso a 34 metros de profundidad. El *KT 12* fue construido en Livorno por encargo de la armada alemana durante la Segunda Guerra Mundial y debía transportar vehículos, combustible y alimentos al norte de África. Sin embargo, el mercante armado fue atacado el 10 de junio de 1943 por el submarino inglés *Safari*, que alcanzó su proa con un torpedo. El buque se hundió y hoy descansa en el fondo del mar, frente a las costas de Orosei.

Peces tres colas rosados, castañuelas negras, congrios, morenas y meros han establecido su domicilio en el arrecife artificial. Se puede bucear bastante bien entre la superestructura del barco. En una inmersión pueden verse el puente de mando y restos del cargamento, por ejemplo, camiones. La hélice, el cañón y el colorido timón trasero son especialmente vistosos. Para sumergirse hasta ellos, es recomendable llevar nitrox en la escafandra ya que, en caso contrario, se requieren largas paradas de descompresión en aguas abiertas al efectuar el ascenso.

Los restos del antiguo buque de vapor *Nasello*, hundido también en 1943, se encuentran frente a la Cala Luna, la playa más conocida del entorno de Cala Gonone. La Segunda Guerra Mundial dejó terribles huellas frente a las costas de Cerdeña: más de 100 pecios descansan en sus aguas. Muchos están

Cala Gonone ●

❖ **Profundidad:** 3-40 m

❖ **Visibilidad:** 20-40 m

❖ **Temperatura del agua:** 14-24 °C

❖ **Mejor época del año:** mayo-oct.

❖ **Dificultad:** ■–■■■■■

❖ **Diversidad de corales:** ■■

❖ **Diversidad de peces:** ■■■

❖ **Peces grandes:** ■

❖ **Pecios:** ■■■

❖ **Cuevas:** ■■■■■

❖ **Paredes:** ■■

❖ **Buceo con esnórquel:** ■■■■

demasiado profundos para los buceadores deportivos por lo que su visita queda reservada a los buceadores técnicos.

Además de pecios, en esta franja costera hay cuevas de gran interés, por ejemplo, la casi interminable serie de grutas Utopia, situada frente a Cala Gonone. En los pasillos de la Galería o de la Grotta delle Ostriche pueden efectuarse inmersiones en la zona de luz diurna o penetraciones profundas, pero es necesario haber superado un curso de buceo en grutas y cuevas. En cambio, bucear en la Grotta dello Smeraldo es fácil, ya que el ascenso es posible en todo momento.

En general, el buceo en torno a Cala Gonone es apto para principiantes, puesto que el fondo frente a la costa tiene una suave pendiente.

Aunque Cerdeña es la segunda isla más grande del Mediterráneo, hay muy pocas bases de buceo en su costa. No obstante, la franja del golfo de Orosei y los alrededores de Alguero, al noroeste de la isla, se consideran sensacionales destinos para cualquier submarinista. Buceadores de cuevas de prestigio internacional se acercan a menudo hasta aquí atraídos por estas aguas que todavía encierran muchos secretos.

Página contigua: Cañón de a bordo del *KT 12*, un misterioso espectáculo

Arriba: Este submarinista ha emergido en el fantástico mundo de la Grotta dello Smeraldo

Abajo izquierda: Timón del *KT 12*, cubierto de vida nueva

Abajo derecha: Bucear en la cueva Utopia no es apto para principiantes

Elba

LA ISLA DE ELBA ES UN DESTINO EMBLEMÁTICO PARA EL BUCEO DESDE LA DÉCADA DE 1950. LOS MUNDOS SUBMARINOS DEL MAR TIRRENO ERAN YA ENTONCES MUY HERMOSOS Y, A PESAR DE HABER SUFRIDO ALGUNOS ALTIBAJOS, TODAVÍA LO SON HOY DÍA.

Elba, la isla de mineral de hierro, tiene una historia agitada: los etruscos, los romanos, los lombardos y otros pueblos ocuparon la isla en el transcurso de los últimos 2.750 años. Tan sólo Napoleón vino aquí contra su voluntad. En 1814, el antiguo soberano de Europa fue destinado a Elba como castigo tras una desafortunada campaña en Rusia, y dictó reformas y leyes que contribuyeron decisivamente al desarrollo de la isla.

Otra ley de gran relevancia aprobada en 1996 puso bajo protección estatal una gran parte del patrimonio natural existente sobre y bajo la superficie del agua. Esto se hizo necesario ante la gran escasez de peces grandes en torno a la isla a causa de la sobrepesca y el uso del arpón.

La situación cambió con la creación del Parco Nazionale Arcipelago Toscano.

La pequeña hermana de Córcega está a 20 kilómetros de Italia y, a vista de pájaro, parece una enorme ballena. La costa, con una extensión de 174 kilómetros, puede dividirse en las siguientes regiones de buceo: el norte, en torno a Portoferraio y Cavo, el este, en torno a Porto Azurro, el sur, en torno a Marina di Campo y el oeste, en torno a Pomonte.

Al norte de Elba hay una pequeña isla con un faro llamada Scoglietto que está protegida por su patrimonio natural. En sus aguas hay grutas, paredes cubiertas de gorgonias, meros e incluso peces luna. Con algo de suerte, es posible ver bancos de atunes cerca de allí, en el Capo d'Enfola. Desde Marciana

Página contigua: Pared de
brillantes gorgonias rojas

Arriba: Gesto amenazante de
una morena

Abajo: *Corallium rubrum*
o coral rojo

Marina se llega a Punto Nasuto, donde hay
una legendaria estatua de Cristo bajo el agua.
En la bahía de Portoferraio yacen los restos de
un *Ju* 52 derribado a 37 metros de profundidad. En Capo Vita, en el extremo norte, puede
verse un ancla de una altura de dos hombres
entre abanicos de mar que parece provenir de
un barco papal.

Frente al islote de Palmaiola, al nordeste
de Elba, puede bucearse en el bajío Secca del
Frate. Se eleva hasta casi la superficie y es un
hábitat ideal para las babosas de mar. Al este de
la isla, hay paredes cubiertas de color en Punta
delle Cannelle, poco antes de Porto Azzurro,
en Picchi di Pablo o en la isla Remaiolo, más al
sudeste.

En el sur, hay fabulosos bosques de corales
en Capo di Stella. Los congrios, pulpos y corales rojos son las atracciones estrella de Secca
di Fonza. El pecio más conocido de la costa de
Elba es el *Elviscott*. Descansa desde 1971 frente
a Pomonte, en el extremo oeste de la isla. Está
a sólo 13 metros de profundidad, por lo que es
ideal para principiantes.

Junto a la isla del Giglio, a 50 kilómetros
al sur de Elba, pueden efectuarse maravillosas
inmersiones en las que se ven espléndidos
bogavantes.

5 FICHA

❖ **Profundidad:** 10-40 m

❖ **Visibilidad:** 15-30 m

❖ **Temperatura del agua:** 13-27 °C

❖ **Mejor época del año:** mayo-oct.

❖ **Dificultad:** ■−■■■

❖ **Diversidad de corales:** ■■■

❖ **Diversidad de peces:** ■■■

❖ **Peces grandes:** ■■

❖ **Pecios:** ■

❖ **Cuevas:** ■

❖ **Paredes:** ■■■■

❖ **Buceo con esnórquel:** ■■■

Islas Kornati

LAS ISLAS KORNATI FORMAN EL ARCHIPIÉLAGO MÁS GRANDE DEL MAR MEDITERRÁNEO Y, EN SU CONJUNTO, LA MAYOR REGIÓN DE BUCEO DE CROACIA. ESTÁN ESTRICTAMENTE PROTEGIDAS Y SU FLORA Y FAUNA SON CASI VÍRGENES. LOS BUCEADORES VIVEN AQUÍ UN «MILAGRO AZUL».

Islas Kornati

Unas islas idílicas, solitarias y rodeadas de aguas cristalinas: así se anuncian las Kornati y no es una exageración. Con una aridez fascinante, esta singular cadena insular está en medio del Adriático y tiene 35 kilómetros de largo y 8 de ancho. La propiedad del archipiélago está en manos de algunos habitantes de la isla Murter.

En 1980, la mayor parte de este territorio compuesto de dos hileras de islas fue declarado parque nacional. De unas 150 islas, hoy están protegidas 89 (incluido su patrimonio marino). La más grande y larga se llama Kornat y ocupa dos tercios de la superficie total. Es fácil imaginarse lo pequeñas que son las otras islas, situadas en el sudoeste. Las Kornati tienen en conjunto una línea costera de 185 kilómetros y, como tantos otros puntos de inmersión situados fuera del parque nacional, tienen mucho que ofrecer.

Hay dos entradas oficiales al laberinto insular, desde donde se inician las excursiones. La del norte está a 15 millas marítimas de Šibenik, cerca de Dugi Otok, una isla muy apreciada para la práctica del buceo. Desde las bases de Murter, en el sur, se llega algo más rápido al parque nacional.

Bajo el agua, los buceadores disfrutan especialmente de los primeros planos: pintorescas babosas, delicados caballitos de mar, cabrachos con cara de pocos amigos, tímidas langostas y astutos pulpos, por citar algunos moradores de estas aguas. No hay que perderse las grandiosas y frondosas paredes de Dom, cerca de Samograd y Balun. Además de abanicos de mar, aquí se ven diferentes especies de esponjas, los animales pluricelulares más primitivos.

Las Kornati estaban en una vía marítima importante para los romanos y griegos, por lo que suelen verse restos de ánforas en el fondo. Los vientos de la zona son aún hoy tristemente famosos, tal como atestiguan barcos hundidos en tiempos modernos. El mejor pecio de las islas cuenta con un maravilloso revestimiento. En 1944, el *Francesca di Rimini* se hundió cerca de Murter cargado de munición para las tropas de África. La cubierta está sumergida a 40 metros, por lo que está reservada a buceadores experimentados.

En todo el parque nacional, las inmersiones sólo están permitidas en zonas específicas, deben realizarse en grupos organizados e implican el pago de tasas.

Página contigua: Campo de ánforas en la región de buceo de las islas Kornati

Abajo: Aproximación a una medusa aguacuajada

⑥ FICHA

❖ **Profundidad:** 5-65 m

❖ **Visibilidad:** 15-40 m

❖ **Temperatura del agua:** 13-24 °C

❖ **Mejor época del año:** mayo-oct.

❖ **Dificultad:** ■-■■■■■

❖ **Diversidad de corales:** ■■■

❖ **Diversidad de peces:** ■■■

❖ **Peces grandes:** ■

❖ **Pecios:** ■■

❖ **Cuevas:** ■■

❖ **Paredes:** ■■■■

❖ **Buceo con esnórquel:** ■■■

Malta

MALTA ES EL ESTADO MÁS PEQUEÑO DE LA UNIÓN EUROPEA Y SE ENCUENTRA EN LA ZONA SUR DEL MEDITERRÁNEO. EL ARCHIPIÉLAGO COMPUESTO POR MALTA, GOZO Y COMINO ES UNA VERDADERA SENSACIÓN PARA LOS SUBMARINISTAS AMANTES DE LA CULTURA.

La isla de Malta ha sido muy disputada por su posición estratégica. Las islas maltesas, situadas al sur de Sicilia, al este de Túnez y al norte de Libia, han sido escenario de actividades bélicas y mercantiles desde hace más de 600 años. En Malta estuvieron cartagineses, fenicios, romanos, árabes, franceses, británicos y algunos otros. Con el tiempo, las islas maltesas se convirtieron en un gran museo al aire libre con huellas de diversos estilos y épocas, también bajo el agua.

La popularidad de Malta, Gozo y Comino se ha mantenido intacta hasta hoy. El paraíso mediterráneo atrae a turistas de toda Europa. Es un destino muy interesante para el buceo por la buena visibilidad, la agradable temperatura del agua y los interesantes puntos de inmersión. Los altos acantilados de la costa descienden abruptos bajo el agua, lo cual los convierte en ideales para el buceo. Es maravilloso deslizarse en las aguas claras frente a las paredes, que penetran profundas en el azul del mar. La flora y la fauna son de las más hermosas del Mediterráneo, el mar adyacente más cálido del Atlántico.

Las aguas de Malta destacan por su gran cantidad de pecios y túneles, muchos de los cuales son enormes cuevas y grutas, como Billinghurst, Coral, Gudja, L'Ahrax o St. Mary's Cave. «Hundir la flota» es más que un juego en Malta: el estado y la Unión Europea fomentan literalmente dicha actividad ya que cada barco inservible es aquí un atractivo turístico.

Malta ●

7 FICHA

- ❖ **Profundidad:** 5-42 m
- ❖ **Visibilidad:** 20-40 m
- ❖ **Temperatura del agua:** 15-28 °C
- ❖ **Mejor época del año:** mayo-oct.
- ❖ **Dificultad:** ■–■■■■■
- ❖ **Diversidad de corales:** ■
- ❖ **Diversidad de peces:** ■■■■
- ❖ **Peces grandes:** ■
- ❖ **Pecios:** ■■■■
- ❖ **Cuevas:** ■■■■
- ❖ **Paredes:** ■■■■
- ❖ **Buceo con esnórquel:** ■■■

Las nuevas sensaciones de hierro oxidado son los transbordadores de Gozo *Imperial Eagle* (42 metros de profundidad) y *Xlendi* (45 metros de profundidad).

Se recomienda además el *Karwela*, de 50 metros de eslora, el pequeño *Comino Land* y el *Boltenhagen*, un antiguo barco patrulla y buscaminas que disfruta de su retiro junto al remolcador *MS Rozi*. También son muy famosos el petrolero *Um el Faroud*, de 119 metros de eslora, y algunos pecios de la Segunda Guerra Mundial.

Además de satisfacer plenamente los deseos de los submarinistas, Malta tiene excelentes servicios de asistencia al buceador en caso de emergencia. Hay incluso un helicóptero de rescate con una cámara de descompresión móvil. Algunas de las prestigiosas bases ubicadas en la isla han sido premiadas en varias ocasiones.

Página contigua: Espirógrafo abierto artísticamente en forma de abanico

Arriba: El *Karwela*, de 50 metros de eslora

Abajo: El serrano es un hábil cazador al acecho

Kaş

SITUADA EN LA COSTA LICIA, LA LOCALIDAD PESQUERA DE KAS ES MÁS BIEN UN LUGAR TRAN-
QUILO SOBRE EL NIVEL DEL MAR. SIN EMBARGO, SUMERGIRSE EN SUS AGUAS ES TODA UNA
EXPERIENCIA: LAS VACACIONES DE BUCEO EN TURQUÍA SON VERDADEROS VIAJES AL PASADO.

Kaş ●

Kaş es un municipio de 5.000 habitantes
situado en la costa sur de Turquía, entre
los centros turísticos de Dalaman y
Antalya. Aunque las masas todavía no han invadido este lugar, la encantadora bahía no permanece
vacía en temporada alta: hay más de dos docenas
de puntos de inmersión y diversas revistas de
buceo han elegido varias veces la región como
una de las mejores para practicar el submarinismo. No es de extrañar, ya que los lugares de inmersión
son muy variados y ofrecen una excelente fauna y
muchos campos de ánforas. Tanto los principiantes
como los expertos disfrutarán la experiencia. Esta
zona al borde de los Montes Tauro es el lugar perfecto
para los que gustan del agua clara y cálida, y tienen
intereses culturales.

En la costa de Kaş hay pocos corales y buscar peces
grandes no merece la pena. Sin embargo, cada vez
migran más peces tropicales del mar Rojo a través del
canal de Suez. De hecho, en estas aguas claras aturquesadas, que poco tienen que envidiar a los mares
tropicales por la visibilidad que ofrecen, es cada vez
más habitual ver peces loro, peces soldado, siganos,
peces ballesta y peces corneta. Junto a rayas, morenas
y tortugas, estos peces viven entre enormes meros y
diferentes bancos de peces como medregales corona-
dos, barracudas, bremas y atunes. En las praderas
de zostera marina están los jardines de infancia de los
peces y no es extraño encontrar nacras.

Assi Island y las tres rocas de Üç Kaya son interesantes lugares para ver ánforas griegas y romanas. En
el fondo hay vasijas de barro con diámetros de hasta
un metro. En torno a Çapa Banko se encontraron
incluso viejas anclas de piedra. La ley turca es también
aquí muy estricta y los intentos de robo llevan incondi-
cionalmente a la cárcel.

En el entorno se ubican ocho pecios de interés.
Hay un bombardero italiano de la Segunda Guerra
Mundial situado al pie de un heterogéneo arrecife en
el lugar de inmersión Flying Fish: una verdadera joya.
Sumergido a una profundidad de entre 55 y 65 metros,
está reservado a los buceadores con experiencia.
Diversas gargantas y cuevas convierten las inmersiones
en experiencias inolvidables. En muchas hay incluso fil-
traciones de agua dulce fría. Ningún buceador debería
perderse la costa licia. El Mediterráneo muestra aquí
su mejor cara.

Página contigua: Es habitual
encontrar ánforas al sumergirse
en la costa turca

Arriba: Esta ánfora está habitada
por una estrella de mar

Centro: Vaquita suiza moteada

Abajo: El cigarro tiene apéndices
en forma de paleta en la cabeza

⑧ FICHA

❖ **Profundidad:** 5-65 m

❖ **Visibilidad:** 20-40 m

❖ **Temperatura del agua:** 18-29 °C

❖ **Mejor época del año:** abril-oct.

❖ **Dificultad:** ■–■■■■■

❖ **Diversidad de corales:** ■

❖ **Diversidad de peces:** ■■■■

❖ **Peces grandes:** ■■■

❖ **Pecios:** ■■■

❖ **Cuevas:** ■■

❖ **Paredes:** ■■■■

❖ **Buceo con esnórquel:** ■■■■

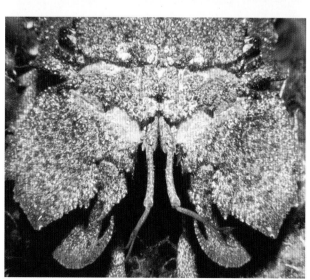

Nueva Escocia

GRACIAS A LA CORRIENTE DEL GOLFO, LAS AGUAS QUE BAÑAN NUEVA ESCOCIA NO SON TAN FRÍAS COMO MUCHOS PIENSAN. EL MUNDO SUBMARINO DEL ATLÁNTICO NORTE ES VARIOPINTO Y SE CARACTERIZA POR SUS BOGAVANTES, BOSQUES DE ALGAS, PECIOS Y ACANTILADOS.

La península de Nueva Escocia, al este de Canadá, está bañada por el océano Atlántico a lo largo de 7.600 kilómetros de costa. Junto con la isla de Cape Breton, constituye la segunda provincia más pequeña de Canadá. Nueva Escocia es sinónimo de naturaleza virgen en tierra y mar. La península está exactamente a 45 grados de latitud norte, a la altura del Mediterráneo norte. Predominan unas temperaturas relativamente suaves, lo cual significa que el buceador necesita un traje más caliente, sin que tenga que ser necesariamente un traje seco.

Una vez en el aeropuerto de Halifax, la capital, lo más normal es desplazarse al extremo norte de Nueva Escocia. En Janvrin's Island, entre la península y la isla de Cape Breton, se sitúa una de las pocas bases de buceo de la zona. A raíz de los densos bosques de algas y laminarias, el escenario submarino de los puntos de inmersión a los que se llega desde aquí parece muy verde a primera vista. Sin embargo, poco después se descubre un paisaje tan variopinto como el de algunas aguas tropicales: en estas zonas también abundan los corales y la fauna de peces y crustáceos no peca en absoluto de falta de matices.

El arrecife local del vistoso centro de buceo resulta muy curioso porque es un pecio. El antiguo petrolero *Arrow* se partió en dos al hundirse en 1970 en la bahía de Chedabucto. La fotogénica popa tiene 160 metros

Nueva Escocia

de largo y está invadida por un bosque de algas hasta los 12 metros de profundidad donde a veces cazan las focas. Aleteando un poco hacia el fondo se llega al territorio de los bogavantes, los escorpiones marinos y los meros. Algo más abajo viven voraces perros del norte junto a anémonas emplumadas. No lejos de allí se encuentra el barco maderero noruego *Gard*, algo más exigente. Su punto más alto se encuentra a 18 metros bajo la superficie. Entre muchos otros, también merece la pena visitar el petrolero *Baleine*.

También se ofrecen excursiones a la bahía meridional de Fox Island, donde crecen corales blandos a partir de 15 metros de profundidad. Al este también hay lugares de buceo: rapes y churrascos cuervo deambulan en Forest Cove, y bogavantes con amenazantes pinzas pueblan los densos bosques de laminarias situados frente a Crid. Estos animales son la marca de identidad de Nueva Escocia, el mayor exportador de bogavantes del mundo. Con algo de suerte, pueden verse ballenas y delfines al salir en bote.

⑨ FICHA

❖ **Profundidad:** 5-40 m

❖ **Visibilidad:** 7-20 m

❖ **Temperatura del agua:** 7-18 °C

❖ **Mejor época del año:** junio-oct.

❖ **Dificultad:** ■–■■■

❖ **Diversidad de corales:** ■

❖ **Diversidad de peces:** ■■■

❖ **Peces grandes:** ■■

❖ **Pecios:** ■■■■■

❖ **Cuevas:** –

❖ **Paredes:** ■■

❖ **Buceo con esnórquel:** ■

Página contigua: Anémonas en el lugar de buceo Cape Hogan

Arriba: Buceadores en la superestructura del *Arrow*

Abajo: Pequeño perro del norte en un tubo junto a los restos del *Arrow*

Islas de Cabo Verde

MÁS ALLÁ DE ÁFRICA SE ENCUENTRA EL PEQUEÑO PAÍS INSULAR DE CABO VERDE, COMPUESTO POR 15 ISLAS VOLCÁNICAS. LA REGIÓN, UN SECRETO ENTRE LOS BUCEADORES A PRINCIPIOS DE LA DÉCADA DE 1990, ESTÁ EXPERIMENTANDO UN PEQUEÑO AUGE DESDE HACE VARIOS AÑOS.

Islas de Cabo Verde

Una mirada al cuaderno de bitácora: «7 de julio de 1992, profundidad 30 metros, isla de Sal, grandes tiburones nodriza, muchos peces en cardúmenes, muy hermoso». Un día más tarde, se añade lo siguiente en Punta Preda, en Santiago: «Panorama modesto, nada destacable, agua turbia». Tres horas más tarde se agrega este apunte: «Máxima euforia en la misma isla por el hallazgo de anclas antiguas». Después, en Fogo: «Lugar de prioridad absoluta con mantas, meros y verdaderas paredes de bancos de peces».

Estos registros se realizaron durante un trayecto de las Islas de Barlovento a las Islas de Sotavento a principios de la década de 1990, un viaje de carácter expedicionario que prometía tierra virgen y aventura pura.

Y es que en medio del Atlántico central, a 450 kilómetros al oeste de la costa africana, es necesario estar en forma ya que las olas suelen ser muy altas y pueden presentarse corrientes en cualquier momento. No obstante, los esfuerzos se vieron recompensados con inolvidables experiencias e impresiones.

Aquella vez se encontraron enormes anclas frente a Cidade Velha, antigua capital de Cabo Verde situada en la isla de Santiago. El gran valle situado frente a lo que hoy es un pequeño pueblo de pescadores sin importancia sirvió una vez de prisión natural para esclavos africanos que serían vendidos en Brasil o el Caribe. Las anclas sumergidas son vestigios de numerosos asaltos de piratas. Sir Francis Drake atacó la ciudad dos veces. También Vasco da Gama y Cristóbal Colón

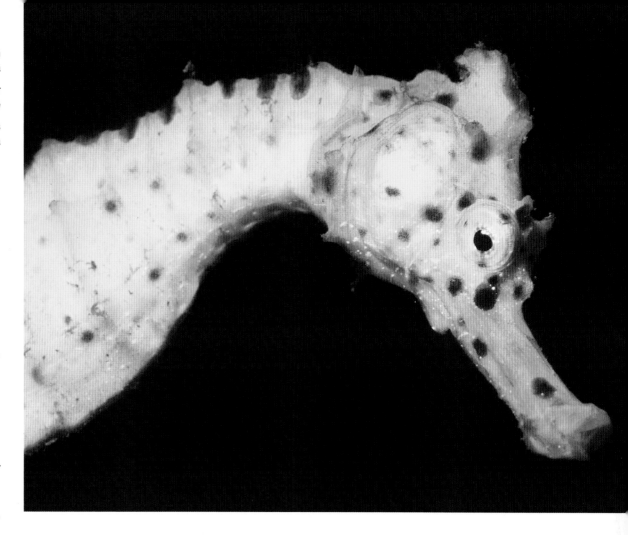

Página contigua: Inmersión
para ver una gigantesca ancla

Arriba: Caballito de mar
de Cabo Verde

Abajo: Gusanos marinos
sobre una esponja

llegaron a las islas de Cabo Verde en sus primeras expediciones.

Cuando hoy se habla de un pequeño auge, va referido a unas 12 bases de buceo. La mayoría se han establecido en la isla de Sal debido a su cercanía al aeropuerto. También Santiago, con la actual capital Praia, tiene algunas bases de buceo y maravillosas playas de arena.

Los guías conocen muy bien el paisaje submarino de Cabo Verde, por lo que cualquier buceador quedará satisfecho con la experiencia. La variedad de peces en los puntos de inmersión es enorme. Además hay muchas posibilidades de ver peces grandes debido al choque de corrientes cálidas y frías en estas aguas.

El extraño entorno volcánico presenta bajo el agua numerosas grutas, salientes, gargantas y paredes. Falta, eso sí, la exuberancia cromática de los trópicos.

10 FICHA

❖ **Profundidad:** 5-50 m

❖ **Visibilidad:** 10-30 m

❖ **Temperatura del agua:** 20-28 °C

❖ **Mejor época del año:** marzo-nov.

❖ **Dificultad:** ■-■■■■■

❖ **Diversidad de corales:** ■■■

❖ **Diversidad de peces:** ■■■■

❖ **Peces grandes:** ■■

❖ **Pecios:** ■■

❖ **Cuevas:** ■■■

❖ **Paredes:** ■■■

❖ **Buceo con esnórquel:** ■■

Madeira

LA ISLA PORTUGUESA ESTÁ SITUADA EN LA ZONA ORIENTAL DEL OCÉANO ATLÁNTICO. MADEIRA ES CONOCIDA COMO DESTINO PARA LA PRÁCTICA DEL SENDERISMO PERO SUS ACANTILADOS Y UN PARQUE NACIONAL MARINO LA CONVIERTEN TAMBIÉN EN UN PARAÍSO PARA EL BUCEO.

En Madeira, el viento sopla normalmente del nordeste y trae humedad y olas altas. Por esta razón, la costa norte no presenta las condiciones más ideales para el buceo. Sin embargo, el sur es más seco, soleado y tranquilo. La escasez de agua de esta zona se compensa con ayuda de canales de riego llamados «levadas». Junto a éstos, hay senderos estrechos utilizados como caminos para hacer senderismo.

Las colinas y los acantilados caracterizan el paisaje de esta pintoresca isla volcánica. La montaña más alta, Pico Ruivo, constituye sólo la cuarta parte de un sistema volcánico que, abrupto y arriscado, continúa descendiendo bajo las olas hasta una profundidad de 4.000 metros. La isla tiene pocas calas arenosas pero presenta los acantilados marinos más altos del planeta.

La mayoría de las bases de buceo de Madeira se sitúan en Funchal, la capital, y en Caniço de Baixo, no lejos del aeropuerto situado al este de la isla. El buceo es muy popular aquí, especialmente gracias al parque nacional marino Reserva Natural Parcial do Garajau, fundado en 1981 por iniciativa de un alemán. En este segmento de costa protegido hay un complejo de hoteles con una base con acceso directo al mar. Los buceadores pueden descender al arrecife local por su cuenta. Dispone de cuatro lugares de inmersión con pequeñas cuevas y grutas donde viven gruesos cigarros. El paisaje rocoso volcánico presenta numerosas grietas y agujeros bajo el agua donde se esconden muchos peces y animales pequeños.

● Madeira

Además de variopintas esponjas y anémonas con fantásticas simbiosis, también pueden admirarse morenas, meros, peces soldado, salmonetes, peces loro de color rojo vivo, barracudas y rayas. Sin embargo, la atracción estrella indiscutible son los meros gigantes. Estos dóciles colosos se encuentran en el cabo Garajau, situado más al sur y a sólo cinco minutos en bote desde el hotel. Con algo de suerte, pueden verse un singular mero amarillo conocido como el «limón amarillo», mantas e incluso alguna foca monje.

En la isla de Porto Santo, al nordeste de Madeira, también hay bases de buceo y dos docenas de puntos de inmersión: pueden visitarse el pecio del *Madeirense*, un arrecife de atunes y barracudas o un lugar en el que varios cañones del siglo XVIII yacen diseminados entre bloques rocosos.

La fauna y flora marinas que existen en torno a Madeira son una mezcla de lo que los buceadores encuentran en aguas septentrionales, el Mediterráneo y el sur tropical del Atlántico.

Arriba: Mero amarillo de cabeza puntiaguda, una curiosidad

Abajo: Pastinaca del Atlántico camuflándose en la arena

....

11 FICHA

❖ **Profundidad:** 3-35 m

❖ **Visibilidad:** 10-30 m

❖ **Temperatura del agua:** 18-24 °C

❖ **Mejor época del año:** mayo-oct.

❖ **Dificultad:** ■–■■■

❖ **Diversidad de corales:** ■■

❖ **Diversidad de peces:** ■■■

❖ **Peces grandes:** ■■■

❖ **Pecios:** ■

❖ **Cuevas:** ■■■

❖ **Paredes:** ■■■

❖ **Buceo con esnórquel:** ■■■

....

Tenerife

TENERIFE, LA MAYOR ISLA DEL ARCHIPIÉLAGO CANARIO, PERTENECE GEOGRÁFICAMENTE
A ÁFRICA Y POLÍTICAMENTE A ESPAÑA. CON MÁS DE UNA TREINTENA DE BASES DE BUCEO,
LA ISLA ES UN POPULAR DESTINO PARA EL SUBMARINISMO DESDE HACE MÁS DE 30 AÑOS.

● Tenerife

Gracias a su cercanía al Trópico de Cáncer, en las Canarias predomina un clima mediterráneo subtropical. Las temperaturas son muy agradables durante todo el año por lo que la temporada alta dura 12 meses. La visita de turistas está así garantizada en la «isla de la primavera eterna». Para evitar catástrofes marítimas que perjudiquen la flora, la fauna y la actividad turística, la Organización Marítima Internacional dictó una ley en 2006 que obliga a los barcos con cargas peligrosas a no navegar a menos de 12 millas marítimas de las islas Canarias.

Tenerife es una isla de contrastes. Además de sol, playas y mar, tiene un paisaje fascinante. El naturalista alemán Alexander von Humboldt lo describió hace 200 años como un paraíso natural que reúne la riqueza paisajística de todo un continente en unos 80 kilómetros de longitud y 50 kilómetros de anchura.

Además de albergar la montaña más alta de España, el Pico del Teide, que se eleva hasta los 3.718 metros sobre un enorme macizo volcánico, Tenerife tiene mucho que ofrecer bajo el nivel del mar, tal como demuestra el gran número de bases de buceo establecidas en la isla.

La parte occidental es más tranquila al encontrarse algo apartada del tumulto de turistas de la Playa Paraíso, al sur. Aquí hay desde 1980 una base de buceo internacional bajo dirección alemana. Está a unos 12 kilómetros al norte de Playa de las Américas y ha sido premiada en varias ocasiones por la comunidad de submarinistas. Algunas inmersiones pueden realizarse directamente desde tierra, por lo que los principiantes también podrán disfrutr de las maravillas que ofrece este fondo marino.

El escenario subacuático tiene un carácter volcánico, como toda la isla. Los buceadores disfrutarán de grutas, cuevas, cañones e impresionantes formaciones rocosas cubiertas parcialmente de esponjas y gorgonias. En estas aguas también pueden contemplarse numerosos peces: barracudas, rayas, meros, atunes, caballas, lábridos, peces loro, salemas, morenas y peces planos. El paisaje submarino ofrece, por tanto, una buena combinación de lo que se ve en aguas tropicales y mediterráneas.

Entre los lugares de buceo más populares se encuentran el Acuario, el Faro o el Arrecife 5 estrellas, donde pueden verse rayas. La roca Gorila es conocida por los caballitos de mar que la habitan y El Puertito, por sus tortugas. Se puede llegar a varios pecios en bote y, si el tiempo acompaña, se ofrecen trayectos para ver los calderones comunes que viven frente a la costa tinerfeña, una verdadera sensación para todos los buceadores que se acercan a esta zona.

Página contigua: Calderón común, también llamado «ballena piloto»

Abajo izquierda: Morena con camarón limpiador

Abajo derecha: Vistosa anémona

⑫ FICHA

❖ **Profundidad:** 5-40 m

❖ **Visibilidad:** 10-30 m

❖ **Temperatura del agua:** 18-24 °C

❖ **Mejor época del año:** marzo-nov.

❖ **Dificultad:** ■–■■■

❖ **Diversidad de corales:** ■■

❖ **Diversidad de peces:** ■■■

❖ **Peces grandes:** ■■■

❖ **Pecios:** ■■

❖ **Cuevas:** ■■■

❖ **Paredes:** ■■■

❖ **Buceo con esnórquel:** ■■■

Santo Tomé

ESCONDIDO EN EL GOLFO DE GUINEA, FRENTE A GABÓN, EL SEGUNDO PAÍS MÁS PEQUEÑO DE ÁFRICA ESTÁ APARTADO DE LAS PRINCIPALES RUTAS TURÍSTICAS. CON UN ENTORNO SUBMARINO POCO EXPLORADO, EN ESTA REGIÓN HAY TODAVÍA MUCHO POR DESCUBRIR.

Santo Tomé es la mayor de las dos islas que forman el estado de Santo Tomé y Príncipe. La isla del cacao tiene menos de 50 kilómetros de largo y limita con el ecuador en el extremo sur. Pocos turistas van a parar a estas tierras. Por esta razón, los buceadores tienen muchas posibilidades de descubrir lugares que nadie ha visto antes.

La isla está a 200 kilómetros de tierra firme. No hay arrecifes protectores por lo que el mar resulta bastante turbulento y hay que prepararse para olas altas y corrientes fuertes.

En Santo Tomé hay una base de buceo en la capital homónima. Otra está en la isla de Rolas, situada al sur, de sólo tres kilómetros cuadrados y habitada por unas 200 personas. Lagoa Azul es uno de los

puntos de inmersión más conocidos de la isla principal. La «laguna azul» se encuentra al norte de la isla y sólo puede explorarse sumergiéndose en caída libre hasta una profundidad de 24 metros. A causa del abundante plancton, la visibilidad es bastante limitada pero hay corales, esponjas y una gran diversidad de peces.

El Ilheu Santana se encuentra al sur de la capital. A 30 metros de profundidad pueden verse macarelas salmón agitándose en torno a un pequeño arrecife con gorgonias, pulpos mirando desde las grietas y a veces tortugas, algo más tímidas. Un recorrido submarino muy especial permite atravesar la isla: se trata de un túnel con una profundidad máxima de 14 metros desde el que siempre se puede ascender.

Santo Tomé ●

⑬ FICHA

❖ **Profundidad:** 10-40 m

❖ **Visibilidad:** 5-30 m

❖ **Temperatura del agua:** 26-30 °C

❖ **Mejor época del año:** junio-febrero

❖ **Dificultad:** ■■■

❖ **Diversidad de corales:** ■■■■

❖ **Diversidad de peces:** ■■■■

❖ **Peces grandes:** ■■

❖ **Pecios:** ■

❖ **Cuevas:** ■■

❖ **Paredes:** ■■

❖ **Buceo con esnórquel:** ■

No hay verdaderas carreteras en Santo Tomé ya que, desde que los señores coloniales portugueses abandonaron la isla en 1975, las infraestructuras se deterioran cada vez más. Para desplazarse a la isla de Rolas, hay que planear al menos tres horas de viaje hasta el embarcadero. El arrecife local, en el extremo sur de esta cuidada isla turística, se llama Pedra do Hirondino y sólo se llega hasta él en bote.

La fauna para primeros planos incluye erizos lápiz, sepias, cangrejos araña, pequeñas gorgonias o caballitos de mar. Pedra do Braga es otro arrecife rocoso situado a 22 metros de profundidad donde se agitan bancos de peces bajo salientes, en grietas y en un arco adornado con corales. Bajo otro saliente, un ejército de peces soldado vigila atento a las fotogénicas morenas de boca amarilla.

El mejor lugar quizás es Sete Pedras. Como el nombre indica, se trata de siete islotes rocosos situados al este de Rolas. Aquí hay paredes atestadas de peces, bogavantes rojos de arrecife, gruesas morenas, hermosos corales, tortugas y tiburones nodriza.

Página contigua: Espléndido ejemplar de bogavante de arrecife

Arriba: Delicados camarones limpiadores

Centro: Morena de boca amarilla vigilada por un banco de peces soldado

Abajo: Maravillosa gorgonia bicolor

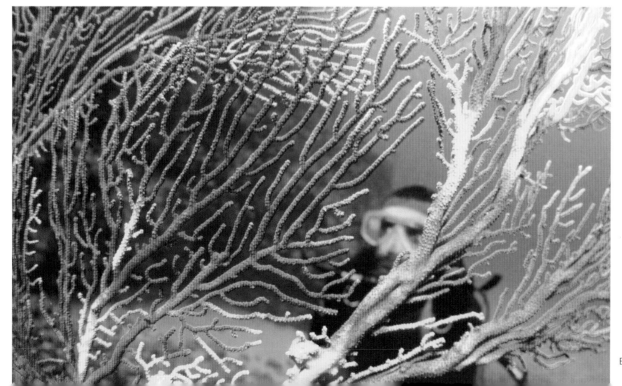

Ciudad del Cabo

SUDÁFRICA ES MUY CONOCIDA ENTRE LOS BUCEADORES POR LA ABUNDANCIA DE TIBURONES. SIN EMBARGO, EN EL EXTREMO SUR DEL CONTINENTE HAY MUCHO MÁS QUE PECES GRANDES. AQUÍ SE PRODUCE UNA DE LAS MAYORES MIGRACIONES ANIMALES DEL PLANETA.

L as aguas de Sudáfrica ofrecen dos atracciones sensacionales: el encuentro con el tiburón blanco y sus pequeños parientes como el tiburón toro, el tiburón tigre, el tiburón cobrizo, el tiburón martillo y la pintarroja, que viven entre Durban y Port Elisabeth, y la espectacular «Sardine Run», una de las mayores migraciones animales del mundo. En mayo sucede un curioso fenómeno en torno a Port Elisabeth que, con suerte, se puede conseguir ver: enormes bancos de sardinas se agrupan en gigantescos cardúmenes conocidos como *baitballs*. Los delfines, las ballenas y los tiburones atacan salvajemente estos grupos de defensa, aunque la mayoría de estos pequeños peces consigue sobrevivir.

A Ciudad del Cabo se acercan sobre todo turistas que desean visitar el país, pero no es muy conocida como zona de buceo. En el Cabo Agulhas, al este del Cabo de Buena Esperanza, limitan el océano Índico y el Atlántico. Aquí, en el punto más meridional de Sudáfrica, la unión de la fría corriente de Benguela y la cálida corriente de Agulhas favorece la existencia de una gran biodiversidad y provoca turbulencias. Si las olas sólo alcanzan un metro de alto, puede hablarse de mar tranquilo y de condiciones óptimas para el buceo.

El mar se divide en el cabo en dos zonas de buceo: False Bay y la parte atlántica. Cuando en Europa es invierno, en Sudáfrica es verano. En False Bay se puede bucear bien todo el año pero la visibilidad es peor cuando allí es verano y puede ser de hasta 25 metros en invierno.

Ciudad del Cabo ●

El **entorno** tiene además un triste récord: más de 2.000 pecios se encuentran directamente junto a la costa. Sin embargo, sólo algunos pueden visitarse. Además de los pecios de *Smitwinkel Bay SAS Pietermaritzburg*, *Clan Stuart*, *Lusitania* y *Good Hope*, destacan los coloridos arrecifes. Los bloques rocosos están revestidos de distintos abanicos de mar, esponjas, anémonas y corales blandos. En la parte superior hay bosques de algas, entre los que vagabundean variopintos erizos y estrellas de mar. Aquí pueden encontrase asimismo más de 200 tipos registrados de babosas de mar. Los leones marinos son especialmente amigables y suelen acercarse curiosos a los submarinistas. Tiburones de especies pequeñas descansan en grietas; maravillosas y enormes ballenas siguen su ruta en aguas abiertas.

La parte atlántica, más fría, es el lugar más tranquilo durante el verano. La oferta para el buceador es similar a la de False Bay y pueden verse incluso delfines. En Simonstown vive una colonia de pingüinos africanos y puede hacerse esnórquel junto a las focas.

Página contigua: Pecio del *Good Hope*, cubierto de exuberantes gorgonias y anémonas

Arriba: Las medusas gigantes suelen pescar en aguas turbias

Abajo: Sudáfrica también muestra su colorido bajo el agua

....

14 FICHA

❖ **Profundidad:** 5-42 m

❖ **Visibilidad:** 5-25 m

❖ **Temperatura del agua:** 10-21 °C

❖ **Mejor época del año:** mayo-feb.

❖ **Dificultad:** ■■■

❖ **Diversidad de corales:** ■■■

❖ **Diversidad de peces:** ■■■■

❖ **Peces grandes:** ■■■■

❖ **Pecios:** ■■■■

❖ **Cuevas:** ■

❖ **Paredes:** ■■

❖ **Buceo con esnórquel:** ■■

....

Gansbaai

LAS COSTAS DE SUDÁFRICA SON EL MEJOR LUGAR PARA CONOCER AL TIBURÓN BLANCO. AQUÍ SE OFRECE EL *CAGE DIVING*, UN SUEÑO PARA MUCHOS BUCEADORES Y UNA PESADILLA PARA OTROS.

Gansbaai ●

Gansbaai pertenece a la Provincia Occidental del Cabo (Sudáfrica) y se encuentra 170 kilómetros al sur de Ciudad del Cabo. Hace algunos años era un tranquilo pueblo de pescadores; hoy vive del turismo atraído por el tiburón. Los pescadores sustituyeron hace tiempo las redes por jaulas: ya no pescan sino que llevan a los buceadores a mar abierto para meterlos en jaulas y facilitarles un encuentro cara a cara con el tiburón blanco.

Shark Alley está a nueve kilómetros de la costa. Es un canal de 100 metros de ancho situado entre las islas Dyer Island y Geyser Rock. Aquí se observa una gran presencia de tiburones todo el año que, agrupados en poblaciones de proporciones variables, suelen habitar estas aguas de seis a ocho semanas. Miden hasta ocho metros de largo y se alimentan tradicionalmente de las focas que viven en Dyer Island.

Los tiburones son atraídos con cebos para que los buceadores observen sus maniobras de ataque desde la jaula. En todo el mundo circularon imágenes que mostraban al tiburón blanco como una agresiva maquina devoradora. Este comportamiento era provocado por la gran cantidad de cebos que había en el agua, ya que estos inteligentes animales son más bien tímidos cuando se encuentran con el hombre. Por esta razón, el *cage diving* produce en muchos defensores de los tiburones sentimientos contradictorios.

Abajo izquierda: Tiburón blanco, un animal más bien tímido

Abajo derecha: Una mirada a los temibles dientes de un tiburón blanco

15 FICHA

❖ **Profundidad:** 1 m

❖ **Visibilidad:** 2-15 m

❖ **Temperatura del agua:** 13-20 °C

❖ **Mejor época del año:** mayo-oct.

❖ **Dificultad:** ▪

❖ **Diversidad de corales:** –

❖ **Diversidad de peces:** –

❖ **Peces grandes:** ▪▪▪▪▪

❖ **Pecios:** –

❖ **Cuevas:** –

❖ **Paredes:** –

❖ **Buceo con esnórquel:** prohibido

Scapa Flow

A FINALES DE LA PRIMERA GUERRA MUNDIAL FUE HUNDIDA UNA FLOTA DE ALTA MAR EN SCAPA FLOW. AUNQUE YA SE HAN RESCATADO NUMEROSOS BARCOS, ESTE PUERTO NATURAL ES UN PARAÍSO PARA LOS BUCEADORES AMANTES DE LOS PECIOS.

● Scapa Flow

Arriba: Pecio del *SMS Cöln*

Las islas Orcadas, al norte de Escocia, son famosas por sus círculos de piedras y tumbas del Neolítico, declarados Patrimonio de la Humanidad. La bahía de Scapa Flow es considerada por los buceadores como una de las mecas europeas del buceo en pecios.

A finales de la Primera Guerra Mundial había estacionados 74 barcos de la Flota de Alta Mar Alemana en Scapa Flow. El comandante de flota, Ludwig von Reuters, pensó que las negociaciones de paz del 21 de junio de 1919 habían fracasado, por lo que dio orden de hundir los barcos para que no cayeran en manos británicas.

La mayoría de los pecios fueron extraídos del agua y hoy sólo quedan siete en el fondo del mar.

El *SMS Cöln*, de 155 metros de eslora, es el más solicitado, ya que puede bucearse muy bien en su interior. El *SMS Kronprinz Wilhelm*, el *SMS Markgraf* y el *SMS König* son enormes acorazados de 177 metros de eslora provistos de grandes cañones. Los buques están a una profundidad de entre 33 y 46 metros y por desgracia yacen boca abajo, con las cubiertas en el fondo. También puede bucearse en algunas partes del interior del *Karlsruhe* (150 metros de eslora) y el *Brummer* (140 metros de eslora).

En la Segunda Guerra Mundial, el submarino alemán *U 47* logró internarse en el puerto natural y hundir un barco británico. Por esta razón, los británicos hundieron deliberadamente algunos barcos en aguas poco profundas para que hiciesen de barrera. Éstos se han convertido hoy en un interesante lugar para el buceo.

16 FICHA

- ❖ **Profundidad:** 10-63 m
- ❖ **Visibilidad:** 4-15 m
- ❖ **Temperatura del agua:** 8-14 °C
- ❖ **Mejor época del año:** mayo-agosto
- ❖ **Dificultad:** ■■■−■■■■■
- ❖ **Diversidad de corales:** ■
- ❖ **Diversidad de peces:** ■■
- ❖ **Peces grandes:** ■
- ❖ **Pecios:** ■■■■■
- ❖ **Cuevas:** –
- ❖ **Paredes:** –
- ❖ **Buceo con esnórquel:** –

Sisimiut

COLOR, BIODIVERSIDAD, CLARIDAD CRISTALINA, FRÍO GLACIAL, AVENTURA: BUCEAR JUNTO A LOS ICEBERGS DE GROENLANDIA, EN TORNO AL CÍRCULO POLAR ÁRTICO, ES UNA EXPERIENCIA SIN PARANGÓN. QUIEN SE SUMERGE EN ESTAS AGUAS, NECESITA UNA PIEL BIEN GRUESA.

Groenlandia se dice Kalaallit Nunaat en la lengua local y significa «país de los hombres». El nombre confunde ya que la mayor isla del mundo, de 2.650 kilómetros de largo y un máximo de 1.000 kilómetros de ancho, es la superficie menos habitada de Europa.

Sólo hay una base de buceo en el todo país puesto que no cualquiera puede sumergirse en las aguas de esta enorme nevera. Las temperaturas pueden bajar por debajo de los cero grados centígrados; los dientes se clavan en la boquilla; el pistón de la primera etapa del regulador trabaja forzado; el consumo de aire iguala al de un principiante incluso en el caso de buceadores profesionales. Sin embargo, bucear al lado y

debajo de los icebergs compensa todas las dificultades y es una de las experiencias más impresionantes que puede vivir un submarinista.

La base está situada en Sisimiut, en la costa occidental. No lejos de la ciudad crece un bosque de algas con variopintos habitantes: enormes soles de mar, cochombros, erizos y babosas viven junto a peces como escorpiones, bacalaos, leones marinos, perros del norte y cangrejos de aspecto fantasmagórico. Se han encontrado incluso pecios: el *Borgin*, una goleta de tres mástiles y un barco de prisioneros portugués.

También se ofrecen excursiones a la bahía de Disko, situada al norte, frente a Ilulissat. De los icebergs grandes pueden desprenderse trozos fácilmente, por lo que, por seguridad, los guías de buceo suelen elegir para las

Sisimiut ●

❖ **Profundidad:** 1-40 m

❖ **Visibilidad:** 15-60 m

❖ **Temperatura del agua:** menos 1°C-7 °C

❖ **Mejor época del año:** mayo-agosto

❖ **Dificultad:** ■■■–■■■■■

❖ **Diversidad de corales:** ■

❖ **Diversidad de peces:** ■■■■

❖ **Peces grandes:** ■■

❖ **Pecios:** ■■

❖ **Cuevas:** ■

❖ **Paredes:** ■■■■

❖ **Buceo con esnórquel:** ■

inmersiones icebergs más pequeños, redondos y lisos. La visibilidad alcanza en verano entre 10 y 15 metros con unos siete grados centígrados. Cada grado de menos aporta unos cinco metros más de transparencia. En invierno, la visibilidad es fabulosa, oscilando entre los 50 y 60 metros.

Sólo una octava parte de los icebergs se encuentra sobre la superficie; la mayor parte está bajo el agua. El panorama de esta arquitectura de hielo flotante es indescriptible y garantiza una experiencia única. El carácter imponente y extraño, los colores, la luz y los reflejos convierten estas aguas en un escenario mágico. Se echa de menos el silencio reinante bajo las olas: se escuchan crujidos y chasquidos que provienen del desprendimiento de trozos de hielo que se precipitan en la corriente.

Página contigua: Bucear junto a icebergs en Groenlandia, una experiencia que requiere un buen traje de submarinismo

Arriba: Resplandeciente sol de mar

Abajo: Espectacular perspectiva de una medusa

AGUAS SEPTENTRIONALES: NORUEGA

Ålesund

BUCEAR EN NORUEGA SE VUELVE CADA VEZ MÁS POPULAR YA QUE HAY MUCHÍSIMO POR DESCUBRIR FRENTE A SUS 80.000 KILÓMETROS DE COSTA. ANTE ÅLESUND Y LA ISLA DE RUNDE YACEN VERDADEROS TESOROS BAJO EL AGUA.

Ålesund está situada entre los famosos centros de buceo de Kristiansand y Narvik, en el sur y norte de Noruega respectivamente. El entorno está a la misma altura que Islandia pero tiene un clima templado y húmedo y, gracias a la Corriente del Golfo, el agua es relativamente cálida. No obstante, es aconsejable bucear con traje seco si se prevén aventuras prolongadas y profundas bajo el agua.

Frente a la elegante ciudad modernista fueron hundidos cinco barcos. El más atractivo es el *Konsul Karl Fisser*, un buque de aprovisionamiento alemán que fue alcanzado por bombas británicas en la Segunda Guerra Mundial y ahora yace a 25 metros de profundidad. La inmersión suele iniciarse en aguas abiertas con muchas corrientes.

Por eso, hay que descender rápidamente a través de la penumbra verdosa hasta la primera superestructura, a 22 metros. Las esponjas y las anémonas emplumadas habitan desde hace tiempo este gigante oxidado de 128 metros de eslora. También está plagado de peces; aquí viven principalmente abadejos. Este carguero de 10.000 toneladas, bien conservado y dispuesto verticalmente en el fondo del mar, no tiene nada que envidiar a los pecios tropicales.

Estas aguas ofrecen paredes maravillosamente decoradas y emocionantes inmersiones a la deriva. Hay enormes bancos de peces y medusas flotando. En el fondo se esconden cangrejos y peces planos, como sollas y platijas. Los lábridos son los especímenes más coloridos.

Ålesund

El conocido paraíso ornitológico de la isla de Runde, cerca de la costa, es una verdadera sensación para el buceo. En una impresionante jungla submarina de laminarias de hasta cuatro metros se concentra la biodiversidad marina del lugar. Aquí también yace el mayor tesoro submarino de Europa: hasta hoy no se ha encontrado ni la mitad de los 14 cofres de monedas de oro y plata del *Akerendam*, hundido en 1725. Se han descubierto en cambio muchos cañones del barco. Pueden hacerse maravillosas inmersiones en la Laguna Azul, Gardbaen y The Cave, una cueva situada bajo un acantilado en el que anidan las aves.

No hay que perderse el valle de Norangsdalen, en el interior, donde un lago alberga las ruinas de un pueblo con sus calles y jardines de piedra. Situado en Grotli, cerca del fiordo de Geiranger, el «lago de color esmeralda» es una verdadera delicia. Se puede bucear incluso en verano entre pequeños icebergs flotantes desprendidos de un glaciar.

Página contigua: Bucear bajo el hielo en el lago cercano a Grotli, una experiencia extraordinaria

Arriba: Lábrido de vivos colores

Abajo: Submarinista en un bosque de algas

18 FICHA

❖ **Profundidad:** 5-45 m

❖ **Visibilidad:** 10-30 m

❖ **Temperatura del agua:** 8-18 °C

❖ **Mejor época del año:** mayo-agosto

❖ **Dificultad:** ■–■■■■■

❖ **Diversidad de corales:** ■■■

❖ **Diversidad de peces:** ■■■

❖ **Peces grandes:** ■■

❖ **Pecios:** ■■■

❖ **Cuevas:** ■■

❖ **Paredes:** ■■■■

❖ **Buceo con esnórquel:** ■

Lundy

LA ISLA DE GRANITO, SITUADA A LA ENTRADA DEL CANAL DE BRISTOL, ESTÁ DESPROTEGIDA Y EXPUESTA A LAS INCLEMENCIAS DEL TIEMPO. PECIOS, FOCAS COMUNES Y TIBURONES PEREGRI-NO ESPERAN LOS BUCEADORES EN LA RESERVA NATURAL MARINA UBICADA EN TORNO A LUNDY.

Lundy es una isla verde sin calles ni coches conocida por su cerveza, sus sellos propios y su castillo. Está habitada por unas 30 personas. El que desee visitar la isla y pasar allí la noche, deberá buscar con antelación ya que hay pocos alojamientos disponibles. Los buceadores llegan a la isla desde bases de Ifracombe, situada al este, en el condado de Devon.

Debido a los vientos, las olas y las corrientes que azotan la isla rocosa, la temporada de buceo en Lundy es corta pero espectacular. Esta isla de granito de 5 kilómetros de largo y 500 metros de ancho está en una ruta de navegación y los primeros naufragios registrados se remontan al año 1793. Las frecuentes turbulencias del Atlántico y la espesa niebla contribuyeron a que

Lundy ●

muchos viajes marítimos acabasen en los escarpados acantilados y bajíos. Hasta hoy hay registrados más de 200 pecios pero sólo alrededor de una docena está en un estado de conservación relativamente bueno. El tiempo y la brusquedad del mar han embestido de tal modo a los otros que ya sólo quedan algunos restos. El pecio más conocido es el acorazado *HMS Montagu* (entre 7 y 12 metros de profundidad), que se fue a pique frente a la punta sur de la isla el 29 de mayo de 1906.

Lundy es considerada en Inglaterra como la joya de la corona del mundo del buceo. Las aguas en torno a la isla se convirtieron en la primera Marine Nature Reserve de Inglaterra. Desde entonces, esta zona se encuentra protegida y la pesca está prohibida, por lo que la ictiofauna mejora año tras año.

Las aguas de Lundy no sólo tienen fama entre los buceadores ingleses. En Gannet's Rock (a 15 metros de profundidad) pueden observarse las proezas acrobáticas de las curiosas focas comunes; en Gull Rock se agitan gallanos de vivos colores y es posible ver los huevos de las pintarrojas aferrados a las ramas de las gorgonias. En las rocas viven anémonas, bogavantes y centollos; también se ven babosas y gusanos planos alimentándose.

Las dos montañas submarinas de Knoll Pins están decoradas con anémonas joya rosadas y amarillas. Por aquí nadan congrios, bacalaos y abadejos. Las cálidas aguas favorecidas por las corrientes permiten que aquí puedan establecerse animales más bien mediterráneos e incluso afines a los trópicos. En ningún otro lugar de Inglaterra hay cinco especies de corales. El plancton atrae en verano al desdentado tiburón peregrino. El segundo pez más grande del mundo visita cada año estas aguas y resulta una verdadera atracción.

Página contigua: Un submarinista juega con una foca común

Arriba: Una foca común curiosea en un bosque de algas

En el centro: Anémonas joya en el punto de inmersión de Knoll Pins

Abajo: Una pequeña estrella de mar con delirios de grandeza intenta devorar a otra más grande

19 FICHA

❖ **Profundidad:** 5-35 m

❖ **Visibilidad:** 3-15 m

❖ **Temperatura del agua:** 10-19 °C

❖ **Mejor época del año:** mayo-sept.

❖ **Dificultad:** ■■■–■■■■■

❖ **Diversidad de corales:** ■■

❖ **Diversidad de peces:** ■■■

❖ **Peces grandes:** ■■■■

❖ **Pecios:** ■■■

❖ **Cuevas:** ■■

❖ **Paredes:** ■■■

❖ **Buceo con esnórquel:** ■

Åland

EN ÅLAND EL AGUA ES TURBIA, HACE FRÍO Y LA FLORA Y LA FAUNA NO TIENEN MUCHO QUE OFRECER. SIN EMBARGO, LA PROVINCIA AUTÓNOMA ES MUY POPULAR ENTRE LOS BUCEADORES. LA «TRUK LAGOON» DE EUROPA OSTENTA UN TRISTE RECÓRD DE NAUFRAGIOS POR LO QUE ES UN VERDADERO PARAÍSO PARA LOS SUBMARINISTAS AMANTES DE LOS PECIOS.

Año 1918: el rompehielos y buscaminas de la marina de guerra imperial alemana *Hindenburg* choca con una mina y se hunde. El barco de 51 metros de eslora situado al oeste de Åland es uno de los pecios (a 42 metros de profundidad) más hermosos del entorno y fue declarado oficialmente monumento de guerra.

Quince años más tarde: el barco de hierro de tres mástiles y 71 metros de eslora *Plus* viene de Londres. El capitán toma una decisión catastrófica y sigue navegando sin práctico a través de una densa niebla en dirección al puerto de Mariehamn. El velero se hunde cerca de la estación de practicaje Kobba Klintar.

Situado entre Estocolmo y Helsinki, este archipiélago del mar Báltico ha sido escenario de numerosas historias parecidas. A nivel de derechos internacionales, pertenece a Finlandia; lingüística y culturalmente, a Suecia. Estratégicamente siempre ha sido de enorme relevancia para ambos países y es considerado hasta hoy una de las regiones marítimas más difíciles de navegar del mundo.

La «tierra de agua» tiene más de 6.500 islas bautizadas, a las que hay que añadir numerosos islotes sin nombre. En torno a este archipiélago de paisaje encantador yacen más de 600 pecios. Hasta hoy se han identificado 100 y pueden visitarse más de 30. Están entre los mejor conservados de Europa, incluidos los barcos

Åland ●

❖ **Profundidad:** 5-70 m

❖ **Visibilidad:** 2-20 m

❖ **Temperatura del agua:** 3-19 °C

❖ **Mejor época del año:** junio-agosto

❖ **Dificultad:** ■■■–■■■■■

❖ **Diversidad de corales:** –

❖ **Diversidad de peces:** ■

❖ **Peces grandes:** –

❖ **Pecios:** ■■■■■

❖ **Cuevas:** –

❖ **Paredes:** –

❖ **Buceo con esnórquel:** –

de madera. Esto se debe al frío, la escasa salinidad del mar Báltico y las estrictas leyes dictadas para garantizar su conservación. Además, se siguen descubriendo nuevos pecios cada año. El *Rotterdam*, una barcaza de madera del siglo XIX de 35 metros de eslora, se encontró en otoño de 2007 a una profundidad de 34 metros.

La única base de buceo existente está en Mariehamn, en la isla principal de Åland. El pecio local es el *Plus*, que yace a una profundidad de entre 17 y 32 metros. Otros pecios accesibles desde aquí son el carguero *Hesperus* (entre 11 y 42 metros de profundidad), de 64 metros de eslora y hundido en 1884, el vapor *L'Esperance* (entre 11 y 35 metros de profundidad), de 60 metros de largo e ido a pique en 1901, y otro vapor de nombre *Helge*, de 1915. Dos años más tarde se sumó el destructor ruso *Burakov* y en 1928, el velero *Balder* (65 metros de profundidad), de 45 metros

de eslora. El barco estatal sueco *Gävle* (entre 45 y 54 metros de profundidad) se fue al fondo en 1975.

Se trate de buceadores deportivos o técnicos, todos disfrutarán explorando este archipiélago. Especialistas en pecios viajan de todo el mundo para visitar el mejor cementerio de barcos del norte de Europa.

Página contigua: Buceador explorando el mástil del *Gävle*

Arriba: Reloj encontrado en el rompehielos *Hindenburg*, hundido en 1918

Abajo: Timón bajo las ruinas del *Rotterdam*

Con una longitud de 2.240 kilómetros y una anchura aproximada de 360 kilómetros, el estrecho mar interior que separa el nordeste de África de la
península Arábiga atrae a los submarinistas. No es de extrañar, ya que la biodiversidad es inmensa, los abundantes arrecifes son un reino de colores y
formas y, dada la posición estratégica de sus aguas, está lleno de fabulosos
pecios. El mar Rojo es una de las mejores regiones de buceo del mundo.

MAR ROJO

Arabia Saudí

CON MÁS DE 1.800 KILÓMETROS DE FRANJA LITORAL, EL REINO DE ARABIA SAUDÍ ES EL ESTADO CON MÁS COSTA DEL MAR ROJO. AQUÍ HAY ALGUNOS LUGARES INEXPLORADOS QUE HARÍAN LATIR MÁS FUERTE EL CORAZÓN DE CUALQUIER BUCEADOR.

Arabia Saudí

Una cosa está clara: los lugares de inmersión más hermosos del mundo están en el mar Rojo. Durante mucho tiempo, los buceadores sólo podían soñar con los arrecifes de Arabia Saudí, ya que el país estaba cerrado al turismo. Desde hace algún tiempo, el reino está abriendo sus puertas. Aquí vienen al año unos 1.200 buceadores. De momento no hay más capacidad.

Mientras que al otro lado del mar Rojo los barcos se agolpan junto a los mejores arrecifes y es difícil encontrar un lugar solitario, en estas costas reina una maravillosa calma. Hay excursiones de un día desde Jeddah o bien desde el nuevo y hasta ahora único centro de buceo en tierra, situado en Al Lith e inaugurado en enero de 2009 por un príncipe aficionado al buceo.

Lo más cómodo y efectivo es hacer un crucero largo. Frente a la costa operan dos centros de buceo flotantes o *liveaboards*, que también pertenecen al príncipe. Uno ofrece viajes largos desde Jeddah en dirección norte, donde se pueden explorar los pecios en torno a Yanbu. En esta zona hay unas dos docenas de pecios conocidos, a los que se añaden otros tantos desconocidos. El viaje hacia el sur se ofrece desde 2004. Comienza en Al Lith y tiene como destino los Farasan Banks y otros lugares más al sur.

Mientras que los sistemas arrecifales de las islas Farasan del norte ya están algo explorados, la parte sur promete inmersiones con verdadero carácter expedicionario. Aquí puede cumplirse el sueño de bucear en un arrecife en el que no ha estado nunca nadie.

❖ **Profundidad:** 3-55 m

❖ **Visibilidad:** 15-40 m

❖ **Temperatura del agua:** 25-32 °C

❖ **Mejor época del año:** marzo-nov.

❖ **Dificultad:** ■–■■■

❖ **Diversidad de corales:** ■■■■

❖ **Diversidad de peces:** ■■■■

❖ **Peces grandes:** ■■■

❖ **Pecios:** ■■■■

❖ **Cuevas:** ■■■

❖ **Paredes:** ■■■■■

❖ **Buceo con esnórquel:** ■■■■

No obstante, puede constatarse que los pescadores ilegales también hacen de las suyas en «aqua incognita» y ya han diezmado la población de peces.

El terreno en torno a muchos de los islotes sin nombre y arrecifes presenta caídas abruptas. Interrumpidos por altiplanicies y con un perfil de buceo ideal, están revestidos de lo mejor que ofrece el mar Rojo. En el año 2006 se descubrieron los «jardines colgantes»: ascidias coloniales de todos los colores cuelgan de corales negros como carámbanos. Se trata de una especie descubierta en 2006. Al lado crecen corales blandos; las paredes rebosan de peces agitándose de un lado a otro. En torno a Shib Mubarak, un lugar expuesto en medio del mar, hacen su ruta peces grandes como las mantas, los delfines, los loros cototos verdes, las barracudas o los tiburones.

Página contigua: Ascidias coloniales de múltiples colores en los «jardines colgantes»

Arriba: Loro cototo verde nadando

Abajo: Jóvenes tiburones de puntas blancas jugando

Sudán

BUCEAR EN SUDÁN NO ES UN SUEÑO FÁCIL DE CUMPLIR. LEJOS DE LAS INFRAESTRUCTURAS TURÍSTICAS PUEDEN EXPLORARSE ARRECIFES CASI VÍRGENES CONSIDERADOS DE LOS MEJORES DEL MUNDO DESDE HACE DÉCADAS.

Sudán

Sudán es el destino más deseado para muchos de aquellos que llevan el buceo en la sangre. Debido a su aislamiento, su inestable situación política y la necesaria renuncia a los lujos, el país situado en el lado oeste del mar Rojo es hasta hoy un lugar poco concurrido y está lejos de tener el bullicio de otras aguas.

En la región sólo hay un puñado de barcos de safari pero los pocos buceadores que vienen hasta aquí pueden hacerse ilusiones de ver grandes peces en arrecifes intactos. Desplazarse al país es una pequeña aventura, tanto si se viaja en avión o en crucero desde Egipto.

En lo que a buceo se refiere, el país no tiene todavía mucha experiencia, y esto a pesar del fomento estatal y la historia de sus aguas. En 1952, Hans Hass describió

los arrecifes situados frente a Port Sudan en su libro *La manta, el diablo del mar Rojo*. En 1963, Jacques-Yves Cousteau intentó investigar la vida humana bajo el agua con el proyecto «Precontinent II»: dos acuanautas vivieron en un hábitat submarino en Sha'ab Rumi durante una semana. Aunque el paso del tiempo está produciendo daños en este asentamiento submarino, aún hoy puede bucearse en él, ubicado entre los 10 y los 27 metros de profundidad e invadido por corales y esponjas.

Frente a Port Sudan se encuentra el arrecife Wingate, donde yace uno de los pecios más conocidos y hermosos del mundo. El carguero *Umbria*, cargado hasta arriba de material bélico, fue hundido en 1949 por la propia tripulación italiana para que su explosiva carga no cayera en manos británicas.

El **arrecife Sanganeb,** en cuyo extremo norte circulan bancos de peces, es legendario. En torno a la altiplanicie del sudoeste todavía hay tiburones, pero no tantos como hace algún tiempo. Para ver estos elegantes depredadores, especialmente tiburones martillo, lo mejor es ir al norte, al arrecife Angarosh, su nombre en árabe es traducido como «madre de los tiburones».

El buque de carga *Blue Belt* se hundió en Sha'ab Su'ad en 1977. Los buceadores pueden ver aún hoy los Toyotas que transportaba. Algunos fabulosos arrecifes de la zona son el Abington, el Merlo, el Protector y el Elba. Frente a este último puede bucearse en el carguero *Levanzo,* hundido en 1923.

Página contigua: La antigua residencia submarina del proyecto «Precontinent II» de Cousteau

Arriba: Corales de fuego en el pecio del *Umbria*

Abajo: Precioso pez ángel real

22 FICHA

❖ **Profundidad:** 2-50 m

❖ **Visibilidad:** 20-50 m

❖ **Temperatura del agua:** 24-31 °C

❖ **Mejor época del año:** nov.–marzo

❖ **Dificultad:** ■ ■ ■

❖ **Diversidad de corales:** ■ ■ ■ ■

❖ **Diversidad de peces:** ■ ■ ■ ■

❖ **Peces grandes:** ■ ■ ■ ■

❖ **Pecios:** ■ ■ ■ ■

❖ **Cuevas:** ■ ■

❖ **Paredes:** ■ ■ ■ ■ ■

❖ **Buceo con esnórquel:** ■ ■ ■ ■

Sur profundo

LAS COSTAS EGIPCIAS SON MUY POPULARES DESDE FINALES DE LA DÉCADA DE 1970, ESPE-
CIALMENTE ENTRE LOS BUCEADORES EUROPEOS. EN EL SUR SE UBICAN LA ZONA DE FURY
SHOAL Y LOS ARRECIFES DE ST. JOHNS, CON UNA GRAN VARIEDAD DE PUNTOS DE INTERÉS.

L os orígenes del buceo deportivo en Egipto se
encuentran en el norte, donde las masas de submarinistas pasan actualmente sus vacaciones.
El turismo de buceo tiene cada vez menos presencia a
medida que uno se desplaza hacia el sur. Sin embargo,
esto no se debe a que los puntos de inmersión meridionales sean de menor calidad.

Por debajo de Ras Banas empieza la región de los
cruceros. Lo normal aquí es bucear en nobles *liveaboards*
y es la mejor manera de vivir el fascinante mundo que
hay bajo las olas. La mayoría de los viajes comienzan
en el puerto de Ras Ghalib o de Marsa Alam. Entre los
destinos más solicitados del sur profundo están las
extensas zonas de Fury Shoal, al norte de Ras Banas, y
los arrecifes de St. Johns, cerca de la frontera con Sudán.

El sur profundo ●

Situadas en un parque marino protegido, también
merece la pena visitar las zonas de Zabargad y Rocky
Island, menos extensas, que fueron abiertas al buceo
por el gobierno a principios de la década de 1990. Los
viajes al sur se ofrecen casi todo el año pero la mejor
época es de mayo a septiembre, cuando el mar Rojo
está más tranquilo.

La oferta de la zona de Fury Shoal es muy variada.
Los bajíos ofrecen lo mejor en Sha'ab Claudia. Al
oeste del arrecife hay un laberinto de coral con pasajes, túneles y cuevas, así como un jardín de corales
duros intacto. En Dolphin Reef, cerca de Sataya,
puede bucearse con esnórquel en una laguna arrecifal
junto a delfines a partir de la tarde. Los animales buscan allí reposo nocturno. En el extremo sur protegido

de Sha'ab Mansour se elevan dos macizos coralinos fantásticamente decorados hasta 12 metros bajo la superficie. Por allí circulan pargos; algo más al fondo cazan barracudas y caballas.

La segunda mayor región de buceo son los arrecifes de St. Johns, donde puede pasarse tranquilamente una semana sin que sobrevenga el aburrimiento. Habili Ali es un imponente macizo coralino densamente cubierto donde se ven a menudo tiburones martillo, grises y de puntas plateadas. Small Habili es una torre de coral llena de peces en cardúmenes. Llega hasta cuatro metros bajo la superficie y puede rodearse varias veces en una inmersión. El arrecife situado más al sur se eleva casi hasta la superficie, por lo que los capitanes del mar Rojo lo llaman «Dangerous Reef» (arrecife peligroso), a pesar de la protección que ofrecen. Varias torres de coral rebosantes de vida sobresalen del fondo arenoso, situado a 24 metros de profundidad.

Hay heterogéneos puntos de inmersión frente a la isla volcánica de Zabargad, al nordeste del grupo de St. Johns: paredes en la parte sudeste, jardines de coral y animadas gargantas. La pequeña Rocky Island es muy escabrosa y está rodeada por un arrecife de franja. Si la corriente es buena, al bucear en la pared pueden verse tiburones, barracudas, mantas, atunes y caballas.

Arriba: Corales blandos en Rocky Island

Abajo: Serie de grutas de St. Johns

....

23 FICHA

❖ **Profundidad:** 5-40 m

❖ **Visibilidad:** 15-40 m

❖ **Temperatura del agua:** 22-31 °C

❖ **Mejor época del año:** mayo-sept.

❖ **Dificultad:** ■–■■■

❖ **Diversidad de corales:** ■■■■

❖ **Diversidad de peces:** ■■■■

❖ **Peces grandes:** ■■■■

❖ **Pecios:** ■■

❖ **Cuevas:** ■■■■

❖ **Paredes:** ■■■■■

❖ **Buceo con esnórquel:** ■■■■

....

Centro dorado

EN LA ZONA CENTRAL DE EGIPTO HAY MUCHO QUE CONTEMPLAR BAJO EL AGUA: TIBURONES, DELFINES Y CANTIDAD DE BUCEADORES. DESDE QUE SE ABRIÓ EL PEQUEÑO AEROPUERTO INTERNACIONAL DE MARSA ALAM, CADA VEZ VIENEN AQUÍ MÁS TURISTAS.

Egipto - Centro dorado

Los buceadores echan un último vistazo a los instrumentos y se lanzan al agua. Tras descender rápidamente a la profundidad máxima de 40 metros, estabilizan la posición, reconocen el entorno y esperan a los tiburones martillo, que surcan las aguas en el extremo norte del arrecife Daedalus. El final del tiempo sin paradas se acerca. La espera se hace un suplicio. De repente, alguien gesticula violentamente. Los ha descubierto. El cardumen pasa con lentitud y elegancia, y pronto queda fuera del alcance de la vista. Los buceadores ascienden. Emergen en aguas abiertas con una parada de seguridad prolongada. Es imposible encontrar el arrecife en la corriente. La embarcación de apoyo lleva a los aventureros a bordo. Todos están de acuerdo: ese corto pero intenso momento vale todos los esfuerzos.

Esta expuesta isla en medio del mar Rojo fue zona militar restringida hasta 1999. Hoy, los operadores turísticos la presentan como una zona excelente para avistar tiburones. En el extremo sur, además de tiburones martillo, también se ven veloces peces zorro. Aquí hay que tener los ojos bien abiertos ya que en todo momento pueden producirse espectaculares encuentros. Lo mismo sucede en el arrecife Elphinstone, más cerca de la costa. Es difícil perderse, ya que la zona está siempre sitiada por barcos de buceo. Uno no debe asustarse, el mundo submarino de este lugar es muy atractivo. Para ver peces grandes, como el tiburón oceánico longimanus, se recomienda la altiplanicie norte. La inmersión termina dejándose arrastrar por la corriente junto a la pared oriental u occidental, maravillosamente revestidas de coral.

También merece la pena bucear junto a Marsa Alam. El antiguo pueblo pesquero fue un secreto bien guardado durante mucho tiempo. Los puntos de inmersión se habilitaron a principios de la década de 1990. Cuando se abrió el aeropuerto en 2001, se produjo una llegada masiva de turistas y se empezaron a construir hoteles.

Sha'ab Samadai contribuyó al auge del buceo. Los delfines se aparean y cuidan de sus crías en la laguna. El gobierno tuvo que poner freno a la afluencia de buceadores y creó áreas protegidas. Hoy hay una zona cerrada para garantizar la tranquilidad de los animales y la entrada de buceadores está muy limitada. También se introdujeron medidas de protección en Abu Dabab. Los submarinistas sólo pueden acercarse desde tierra a las tortugas y los sirénidos, los llamados «dugongos».

La zona también ofrece mucho en tierra: los templos de Wadi Miya, las pinturas rupestres de épocas prehistóricas y el parque nacional Wadi El Jimal, ubicado al sur.

Página contigua, arriba: Manada de delfines en el mar Rojo

Página contigua, abajo: Cardumen de tiburones en el arrecife de Daedalus

Abajo izquierda: Imponente tortuga

Abajo derecha: Dugongo en la bahía de Abu Dabab

24 FICHA

❖ **Profundidad:** 5-60 m

❖ **Visibilidad:** 15-40 m

❖ **Temperatura del agua:** 22-31 °C

❖ **Mejor época del año:** abril-oct.

❖ **Dificultad:** ■–■■■■

❖ **Diversidad de corales:** ■■■■■

❖ **Diversidad de peces:** ■■■■

❖ **Peces grandes:** ■■■■

❖ **Pecios:** ■■

❖ **Cuevas:** ■■

❖ **Paredes:** ■■■■■

❖ **Buceo con esnórquel:** ■■■■■

Brother Islands

LAS DOS SOBRIAS ISLAS ROCOSAS SON UNO DE LOS DESTINOS MÁS POPULARES DEL MUNDO PARA LA PRÁCTICA DEL BUCEO. SE ENCUENTRAN EN UN PARQUE MARINO PROTEGIDO EN MEDIO DEL MAR, POR LO QUE LAS CONDICIONES NO SON LAS MÁS FAVORABLES.

Brother Islands

Las Brother Islands están aisladas en la ruta marítima que va del mar Rojo al canal de Suez. Son restos de dos cráteres volcánicos, verdaderos oasis que no sólo atraen a los buceadores. Llamadas «El Akhawein» en árabe, las dos islas llanas distan entre sí unos 1.500 metros y están deshabitadas a excepción del torrero. Los cruceros de buceo, de varios días de duración, suelen iniciarse en Hurgada. Pueden no ser muy agradables debido al viento y las olas habituales en la zona.

Encontrar el momento adecuado es cuestión de suerte. De julio a agosto, los vientos son algo más débiles y hay más posibilidades de que las condiciones meteorológicas sean relativamente aceptables. Sin embargo, no hay que subestimar el calor. Incluso la temperatura

del agua puede alcanzar los 30 grados centígrados, de modo que los peces grandes descienden hasta capas más frías.

De aproximadamente 400 metros de longitud y 40 metros de ancho, la isla septentrional es el «hermano mayor». Alberga un faro construido en 1880 por los británicos que todavía está en servicio. Las mejores atracciones de sus aguas son los pecios *Numidia* (entre 10 y 90 metros de profundidad) y *Aida II* (entre 30 y 60 metros de profundidad), ubicados en la ventosa zona noroeste. Son exuberantes jardines en los que no se sabe a veces dónde termina el pecio y empieza el arrecife.

Los submarinistas bucean a la deriva de norte a sur en corrientes a veces muy fuertes, pasando junto a abruptas paredes rocosas con una increíble variedad de corales y peces. Peces pelágicos solitarios y otros en grupo patrullan en la corriente; enormes peces napoleón se acercan a los buceadores. Se emerge lentamente en la parte sur, más protegida del viento y las olas, donde fondea el barco de safari. La altiplanicie del sur, a unos 35 metros de profundidad, no es tan espectacular como la parte norte. A veces se ven peces zorro acompañados de peces limpiadores.

El paisaje terrestre de la isla pequeña es tan sobrio como el de la otra, pero bajo el agua, el espectáculo es al menos igual de impresionante. La pared oriental en particular reúne toda la riqueza submarina del mar Rojo.

La zona fue declarada parque marino en 1998. Desgraciadamente, las islas no sólo son un sueño, sino a veces también una pesadilla. Los accidentes de buceo, debidos normalmente a las fuertes corrientes, se convierten una y otra vez en objeto de titulares de prensa.

Página contigua: Grueso pez napoleón junto a Little Brother Island

Arriba: El maravillosamente decorado pecio del *Numidia* yace junto a Big Brother Island

Abajo: Espectaculares paredes submarinas situadas en torno a Little Brother Island

....

㉕ FICHA

❖ **Profundidad:** 5-80 m

❖ **Visibilidad:** 20-40 m

❖ **Temperatura del agua:** 20-30 °C

❖ **Mejor época del año:** mayo-sept.

❖ **Dificultad:** ■■■–■■■■■

❖ **Diversidad de corales:** ■■■■■

❖ **Diversidad de peces:** ■■■■■

❖ **Peces grandes:** ■■■■■

❖ **Pecios:** ■■■■

❖ **Cuevas:** ■■

❖ **Paredes:** ■■■■■

❖ **Buceo con esnórquel:** ■■■■

....

Abu Nuhas y Sha'ab Ali

EN TORNO A LOS DOS ARRECIFES DE CORAL SITUADOS EN LA ENTRADA AL CANAL DE SUEZ HA HABIDO ALGUNOS ACCIDENTES MARÍTIMOS. EL ENTORNO ES CONOCIDO HOY POR SUS PECIOS. EL *THISTLEGORM* ES PROBABLEMENTE EL BARCO HUNDIDO MÁS FAMOSO DEL MAR ROJO.

Abu Nuhas
y Sha'ab Ali

En el norte del mar Rojo se elevan muchos arrecifes hasta casi la superficie. Apenas pueden verse desde arriba cuando el mar está en calma, el sol está bajo o al ocaso. Además, en esta zona se presentan a menudo fuertes vientos y olas, y ante la ausencia de los medios de navegación modernos, hubo muchas colisiones en el pasado. Tras la construcción del canal de Suez en 1869, la conexión más importante entre Asia y Europa, empezaron a acumularse los accidentes. El mayor cementerio de barcos del mar Rojo está en el estrecho de Gubal. Algunos restos frente a Abu Nuhas ya no pueden identificarse, por lo que nadie sabe exactamente cuántos barcos yacen aquí.

Dos meses tras la inauguración del canal, la goleta de vapor *Carnatic* encalló en el arrecife y se partió en

dos. Estaba cargada de botellas de vino, lingotes de cobre y oro. Sin embargo, en aquella ocasión, los buzos pudieron salvar la valiosa carga. El barco (máximo 27 metros de profundidad) hace las delicias de cualquier buceador: la hélice, las cuadernas decoradas con esponjas y corales blandos, y la atmósfera que se crea en el interior cuando los trémulos rayos de sol alumbran algunas partes del pecio.

En el extremo occidental yace el *Giannis D* a la misma profundidad. El carguero de madera griego se hundió en 1983 y se partió. La popa yace sobre el costado de babor y está muy bien conservada. Se puede bucear en la superestructura; un verdadero placer para los amantes de los pecios. Si se desea penetrar más al fondo, habrá que controlar el aire y llevar una luz y un cabo.

❖ **Profundidad:** 5-30 m

❖ **Visibilidad:** 15-40 m

❖ **Temperatura del agua:** 20-30 °C

❖ **Mejor época del año:** abril-octubre

❖ **Dificultad:** ■–■■■

❖ **Diversidad de corales:** ■■■

❖ **Diversidad de peces:** ■■■

❖ **Peces grandes:** ■■

❖ **Pecios:** ■■■■■

❖ **Cuevas:** –

❖ **Paredes:** –

❖ **Buceo con esnórquel:** ■■

Al nordeste, el *Chrisoula K.*, de unos 100 metros de eslora, encalló en el arrecife en 1981 al dirigirse a Jeddah. Aunque en las bodegas delanteras todavía puede verse su carga de baldosas, la parte de popa está en mucho mejor estado. Como muchos otros, este pecio también puede verse bien desde arriba. Al oeste yace el *Kimon M.*, otro arrecife artificial a una profundidad de entre 12 y 32 metros.

En Sha'ab Ali, al norte, el buque de aprovisionamiento inglés *Thistlegorm* yace verticalmente en el fondo marino desde 1941. Es el más famoso de todos los pecios y ha adquirido la condición de culto entre los buceadores. Cargado hasta arriba de material bélico, camiones y motocicletas, fue atacado por un Heinkel alemán y se hundió tras una fuerte explosión. Aún hoy se conserva una gran parte de la carga pero, al igual que en otros arrecifes artificiales, su estado se va deteriorando ante la llegada masiva de buceadores y cazadores de souvenirs. Puede llegarse a ambos pecios desde las bases de Sharm el Sheij y Hurgada.

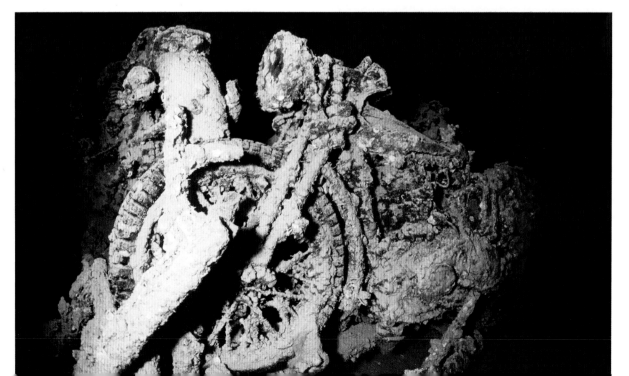

Página contigua: Buceadores frente al pecio del *Giannis D*

Arriba: Las esponjas y los corales crecen en el pedio del *Carnatic*

Abajo: Motocicleta inglesa en la bodega del *Thistlegorm*

Sinaí Sur

EL PARQUE NACIONAL DE RAS MOHAMMED, AL SUR DE LA PENÍNSULA DEL SINAÍ, ES SINÓNIMO DE SUBMARINISMO EN MAYÚSCULAS. AQUÍ HAY EXCELENTES PUNTOS DE INMERSIÓN Y PAREDES PROFUSAMENTE DECORADAS QUE DESCIENDEN A PROFUNDIDADES INFINITAS.

Sinaí Sur

Definir Ras Mohammed como un lugar de buceo no es totalmente correcto ya que el entorno congrega diferentes puntos de inmersión. Es un clásico en el mar Rojo y, aunque aquí se han realizado ya miles de inmersiones, apenas ha perdido atractivo. Ya sean pioneros, científicos, biólogos, cineastas o fotógrafos, todos aquellos con renombre en el mundo del buceo se han dejado fascinar por estas aguas.

Incluidos dentro de los límites del parque, lo más especial de todos los lugares de inmersión son las gigantescas y coloridas paredes, probablemente las más hermosas del mar Rojo. Parecen precipitarse al vacío y se las identifica con nombres como el «Abismo», la «Cara norte del Eiger de los mares» o el «Agujero

profundo». En algunos puntos descienden hasta los 750 metros, una profundidad que puede sentirse.

En Ras Mohammed es posible admirar tres lugares en una sola inmersión. Se salta del barco en Anemone City. A 20 metros de profundidad, se sigue la pared con el hombro derecho en el arrecife manteniendo el curso del compás a 150 grados sobre el azul profundo de la fosa. Una vez en Shark Reef, la corriente suele dividirse. El arrecife debe seguir estando a la derecha; si no, uno se ve empujado por la corriente a una zona más profunda. Lo mejor se encuentra a entre 20 y 30 metros de profundidad: frente a la pared hay bancos de pargos, las barracudas van de un lado a otro, de vez en cuando aparecen tiburones y puede contemplarse un fotogénico banco de peces murciélago, habitantes permanentes

de estas aguas. Si la corriente no es muy fuerte, se puede incluso entrar en estos bancos aleteando suavemente. Sin embargo, la pared no debe ignorarse por el tumulto de peces, ya que aquí florecen abundantes corales blandos increíblemente llamativos. Hay meros pequeños y grandes por todo lados.

El barco espera en Yolanda Reef. Al avistar los inodoros que pertenecían al cargamento del *Yolanda* esparcidos por el fondo, hay que pensar en ascender de forma segura y lanzar la boya, las embarcaciones de apoyo recogen a sus pasajeros por todos sitios.

También hay que recordar nombres como Ras Za'atar o Shark Observatory. Cada lugar de Ras Mohammed es ya una experiencia en sí y lo excepcional puede presentarse en todo momento: tiburones, barracudas, caballas o, con suerte, incluso algún tiburón ballena.

Página contigua: Peces murciélago en Ras Mohammed

Arriba: Peces payaso, más conocidos desde el estreno del film *Buscando a Nemo*

Abajo: Bucear a través de las azules aguas en la fosa de Ras Mohammed es una experiencia inolvidable

27 FICHA

❖ **Profundidad:** 2-40 m

❖ **Visibilidad:** 15-40 m

❖ **Temperatura del agua:** 20-30 °C

❖ **Mejor época del año:** abril-oct.

❖ **Dificultad:** ■–■■■■■

❖ **Diversidad de corales:** ■■■■■

❖ **Diversidad de peces:** ■■■■

❖ **Peces grandes:** ■■■■

❖ **Pecios:** ■■■

❖ **Cuevas:** ■■■

❖ **Paredes:** ■■■■■

❖ **Buceo con esnórquel:** ■■■■■

Arrecifes de Tirán

EN EL ESTRECHO DE TIRÁN, QUE COMUNICA EL MAR ROJO CON EL GOLFO DE AQABA, HAY CUATRO ARRECIFES EXCELENTES. LOS BUCEADORES SE DESPLAZAN EN BARCO A ESTA REGIÓN DE BUCEO DESDE LA DÉCADA DE 1970.

Arrecifes de Tirán

Página contigua: Gigantesco coral lechuga en el arrecife Jackson

Arriba: Enorme gorgonia espectacularmente iluminada

Centro: Pez picasso de antifaz con un hermoso dibujo

Abajo: En el mar Rojo es frecuente encontrar rayas de arrecife

 FICHA

❖ **Profundidad:** 2-60 m

❖ **Visibilidad:** 15-40 m

❖ **Temperatura del agua:** 19-29 °C

❖ **Mejor época del año:** marzo-oct.

❖ **Dificultad:** ■-■■■

❖ **Diversidad de corales:** ■■■■■

❖ **Diversidad de peces:** ■■■■■

❖ **Peces grandes:** ■■■■

❖ **Pecios:** ■

❖ **Cuevas:** ■

❖ **Paredes:** ■■■■■

❖ **Buceo con esnórquel:** ■■■■■

Casi todo el mundo conoce el antiguo asentamiento beduino de Sharm el Sheij. Donde antes había algunas cabañas, hoy se levanta un «mini Las Vegas» con centros hoteleros. El auge constructivo no tiene fin, debido en gran parte a los sensacionales puntos de inmersión accesibles desde aquí, como los arrecifes del estrecho de Tirán, en el extremo sur del Golfo de Aqaba.

Los cuatro arrecifes de plataforma se encuentran donde el brazo de mar oriental que limita la península del Sinaí se eleva desde una profundidad de 2.000 metros. Se sitúan sobre un anticlinal, justo en el centro de la estrecha vía marítima, y poseen nombres de cartógrafos ingleses: Gordon, Thomas, Woodhouse y Jackson.

El primer arrecife viniendo del sur es el arrecife Gordon. Es el más grande y puede identificarse por el pecio del *Louilla*, hundido en 1981. Se fondea en el sur, donde hay menos corrientes. Al sudoeste se sitúan una altiplanicie y el anfiteatro; a continuación hay una pared poblada de abanicos de mar. Al oeste hay viejos barriles de aceite recubiertos de vegetación en un jardín de coral. El fluido derramado se ha solidificado y se han creado formas extravagantes.

El siguiente arrecife es pequeño pero imprevisible. En el arrecife Thomas son frecuentes las inmersiones a la deriva. Cuando cambia la marea, el mar está tranquilo y se puede bucear alrededor del arrecife y disfrutar de la biodiversidad que caracteriza el más pequeño de los cuatro arrecifes. Hay tiburones de puntas blancas y de arrecife, barracudas, rayas, tortugas y peces ballesta. Los frondosos corales negros y abanicos de mar indican la intensidad de la frecuente corriente.

El arrecife Woodhouse es largo y estrecho. Ofrece poca protección a los barcos para el fondeo y, buceando a la deriva, suele pasarse muy rápido por su colorida pared oriental. Al norte se une al arrecife Jackson, el más espectacular de los cuatro. Debido a las frecuentes turbulencias reinantes bajo el agua, los guías llaman a esta zona la «lavadora», por lo que sólo hay que aventurarse hasta aquí si las condiciones son favorables.

Habiendo encontrado un hábitat ideal en los lugares expuestos a las corrientes, la flora y la fauna del arrecife Jackson son las más hermosas. En verano pueden aparecer incluso cornudas en la parte norte, en torno al pecio del *Lara*.

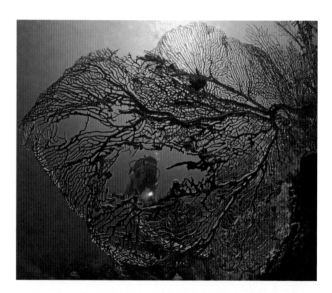

Dahab

LA PEQUEÑA LOCALIDAD REÚNE EN SU ENTORNO MÁS DE 30 LUGARES DE INMERSIÓN A LOS QUE SE PUEDE ACCEDER DESDE TIERRA, COMO EL MISTERIOSO Y CONOCIDO BLUE HOLE.

Dahab

Dahab está en el lugar más profundo y amplio del golfo de Aqaba, al norte de Sharm el Sheij. El antiguo pueblo pesquero dispone hoy de un animado centro turístico pero, gracias a sus numerosas playas, también es ideal para buceadores que buscan tranquilidad y relax. Hay una gran cantidad de bases de buceo y puntos de inmersión accesibles desde tierra.

La heterogénea cresta arrecifal en torno a Dahab suele descender suavemente hasta una profundidad de entre 25 y 30 metros. Hay hermosos lugares de inmersión como el Southern Oasis o el Cañón, una grieta profunda situada al norte que comienza a 15 metros y que tiene la última salida a 50 metros. Se requiere una planificación cuidadosa, ya que hay muy pocos puntos que permitan el ascenso.

Dos kilómetros al norte se encuentra el legendario y misterioso Blue Hole: un cilindro circular que se precipita abrupto hasta los 120 metros. A 56 metros hay una salida bautizada como el Arco. El agujero azul tiene un diámetro de 25 metros y es una meca para los buceadores técnicos, que descienden equipados con mezclas de gases especiales para la profundidad. Desgraciadamente, el lugar ha recibido también otro terrible sobrenombre: cementerio de submarinistas.

Abajo izquierda: El pez piedra del mar Rojo es el espécimen más peligroso de la región

Abajo derecha: Pez de cabeza plana fantásticamente camuflado

29 FICHA

❖ **Profundidad:** 1-120 m

❖ **Visibilidad:** 15-35 m

❖ **Temperatura del agua:** 19-29 °C

❖ **Mejor época del año:** marzo-nov.

❖ **Dificultad:** ■–■■■■■

❖ **Diversidad de corales:** ■■■■

❖ **Diversidad de peces:** ■■■■

❖ **Peces grandes:** ■■

❖ **Pecios:** ■■

❖ **Cuevas:** ■■■■

❖ **Paredes:** ■■■■■

❖ **Buceo con esnórquel:** ■■■■

Yibuti

Yibuti

ESTE ESTADO LIMITA CON EL MAR ROJO Y EL GOLFO DE ADÉN. LAS ISLAS DE LOS SIETE HERMANOS FUERON MUY POPULARES POR LOS JARDINES DE CORAL VÍRGENES Y LA ABUNDANCIA DE TIBURONES DE SUS AGUAS. LOS TIBURONES BALLENA, QUE SE ASIENTAN FRENTE SUS COSTAS EN INVIERNO, ATRAEN HOY A LOS BUCEADORES.

Situado en la desembocadura del mar Rojo en el océano Índico, el archipiélago de los «Siete hermanos» era en la década de 1970 una región de buceo de primera por la grandiosa diversidad de corales blandos, las imponentes paredes y los incontables tiburones. Más tarde, la caza prolongada provocó que se acabase prácticamente con casi todos los escualos. La inestabilidad política también contribuyó a que este árido territorio desértico fuera evitado por los buceadores durante décadas.

Yibuti ha vuelto a convertirse en un atractivo destino para contemplar tiburones. Docenas de tiburones ballena se asientan en el golfo de Tad-jourah en los meses invernales para alimentarse y engendrar. Surcan una franja costera corta y profunda situada frente a un campo de formación de la legión francesa recogiendo el abundante plancton que contiene el mar. El agua es muy turbia, pero se compensa con la satisfacción de toparse con estos espectaculares animales.

Hay que ir en *liveaboards* para llegar a las zonas de tiburones y las islas de «Siete Hermanos», ya que en Yibuti no hay bases de buceo.

Arriba: Tiburón ballena absorbiendo plancton

Abajo: Colosal tiburón ballena

30 FICHA

❖ **Profundidad:** 1-40 m

❖ **Visibilidad:** 5-20 m

❖ **Temperatura del agua:** 25-32 °C

❖ **Mejor época del año:** nov.–feb.

❖ **Dificultad:** ■

❖ **Diversidad de corales:** ■■

❖ **Diversidad de peces:** ■■■

❖ **Peces grandes:** ■■■■■

❖ **Pecios:** ■■

❖ **Cuevas:** ■■

❖ **Paredes:** ■■

❖ **Buceo con esnórquel:** ■■■

Situado entre África, Asia, Australia y la Antártida, el océano más pequeño del planeta es generoso para la práctica del submarinismo. Las aguas que bañan África oriental y los maravillosos mundos insulares de las Maldivas y Tailandia, cumplen especialmente todas las condiciones para unas vacaciones de buceo perfectas: además de ser cálidas y exóticas, están pobladas por una gran diversidad de peces y maravillosas formaciones coralinas.

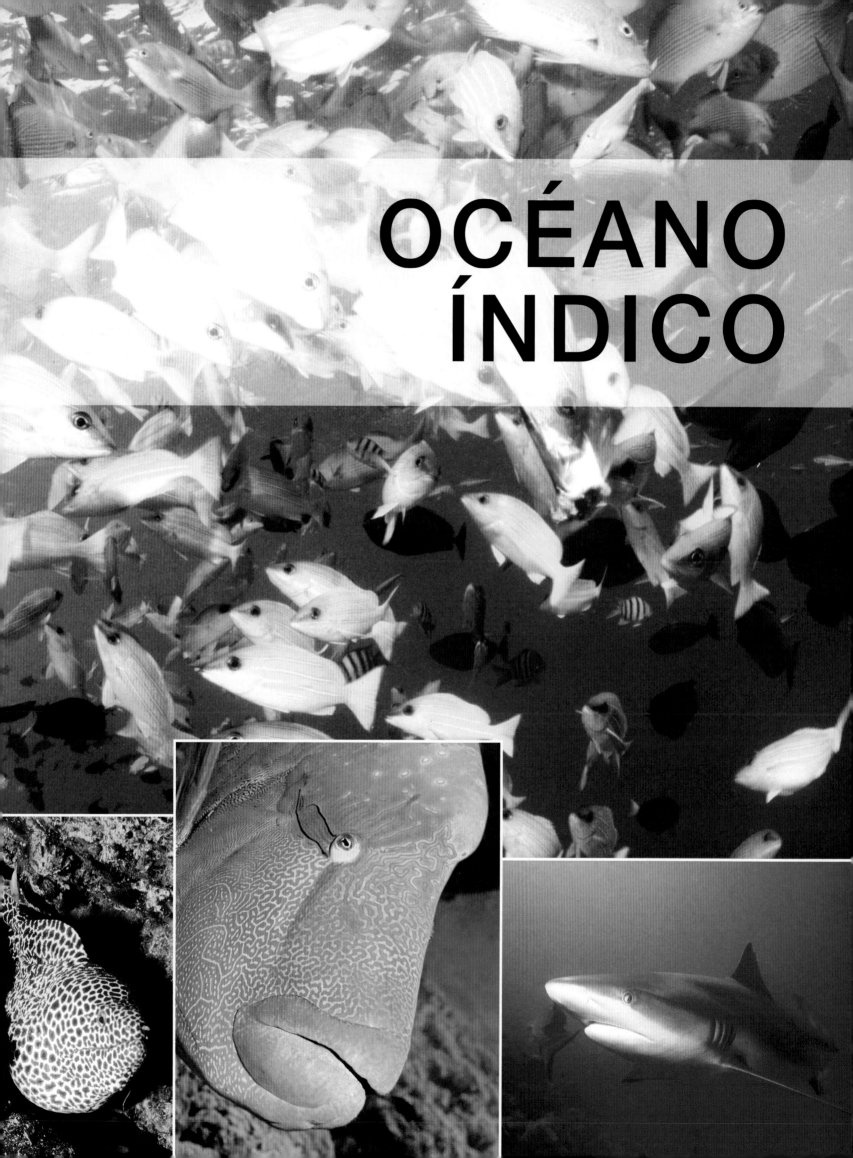

OCÉANO ÍNDICO

Atolón norte de Malé

LAS MALDIVAS SON UN DESTINO DE ENSUEÑO. LOS PRIMEROS HOTELES SE CONSTRUYERON EN EL ATOLÓN NORTE DE MALÉ EN 1972, QUE CON SUS PLAYAS DE ARENA BLANCA Y AGUAS CRISTALINAS, SE CONVIERTE EN UN LUGAR PERFECTO PARA RELAJARSE Y HACER SUBMARINISMO.

El archipiélago de las Maldivas tiene oficialmente 1.190 islas distribuidas en 26 atolones. Sólo 202 están habitadas por los nativos; unas 100 más son accesibles para los turistas pero la tendencia es ascendente. Con 820 kilómetros de largo y 130 de ancho, el 99 por ciento del país es agua.

Uno de los grandes atolones de las Maldivas es el atolón norte de Malé. Alberga la capital, Malé, y un aeropuerto internacional en la isla de Hulhule. Se puede llegar hasta los complejos turísticos de las islas en barco o avión. En el espectacular vuelo de aterrizaje, impresiona el «collar de perlas» rodeado de agua azul que forman las islas. El que haya estado aquí antes notará diferencias: algunas islas

Atolón norte de Malé

turísticas han cambiado; han sido ampliadas para darles la «forma justa».

Los puntos de inmersión del atolón, muchos de los cuales no están lejos de la capital, siguen siendo excelentes. La variedad de peces y corales blandos está muy bien conservada. Sin embargo, cada vez deambulan menos tiburones en los Shark Points. Su caza está oficialmente prohibida en los atolones pero se sigue practicando.

El Rainbow Reef es uno de los mejores lugares. Está frente a la isla de Soneva Gili, en un canal de fuertes corrientes llamado Himmafushi Kandu. Destacan los peces agrupados en cardúmenes y los tiburones, así como los grandiosos corales blandos y los abanicos de mar, de un colorido excepcional. El Banana Reef es un clásico y,

❖ **Profundidad:** 2-30 m

❖ **Visibilidad:** 15-50 m

❖ **Temperatura del agua:** 27-30 °C

❖ **Mejor época del año:** febrero-abril

❖ **Dificultad:** ■-■■■

❖ **Diversidad de corales:** ■■■■■

❖ **Diversidad de peces:** ■■■■■

❖ **Peces grandes:** ■■■■

❖ **Pecios:** ■■■■

❖ **Cuevas:** ■■■■

❖ **Paredes:** ■■■■■

❖ **Buceo con esnórquel:** ■■■■

como el Rainbow Reef, se sitúa en un área protegida. Lo más llamativo son las acróporas aplanadas y los centenares de peces coral. En el largo arrecife exterior de Paradise Island está el legendario Manta Point, donde se puede disfrutar en directo de estos animales volantes, acompañados a ratos de peces limpiadores.

Si la corriente es fuerte en el canal de Makunudu, se puede vivir un verdadero milagro azul en el Blue Canyon: corales blandos fluorescentes en las paredes y salientes. Es probable encontrarse con peces grandes en Woshi Mas Thila, y uno se sumerge en una verdadera «sopa de pescado» en Barracuda Giri. El Arena, en Madigas, está muy protegido por las formaciones coralinas.

En el mundo submarino del atolón norte de Malé también hay barcos hundidos: el pecio de *Hembadhoo*, a una profundidad de entre 15 y 25 metros, o el conocido *Maldive Victory*, un carguero de 110 metros de eslora que encalló en un arrecife cerca del aeropuerto en 1981. Yace derecho a una profundidad de 35 metros, por lo que es ideal para el buceo.

Página contigua: Barrenderos en el timón del pecio de *Hembadhoo*

Arriba: Enormes corales blandos en Rainbow Reef

Abajo: Manta Point, frente a Paradise Island

Atolón sur de Malé

EL CANAL DE VADOO, DE CUATRO KILÓMETROS DE ANCHO Y 1.900 METROS DE PROFUNDIDAD, SEPARA EL ATOLÓN NORTE Y EL ATOLÓN SUR DE MALÉ. EL ARRECIFE DE CORAL MERIDIONAL TIENE FORMA CIRCULAR Y ES MÁS PEQUEÑO PERO TIENE INTERESANTES PUNTOS DE INMERSIÓN.

El atolón sur de Malé sur consta de 32 islas y mide 21 kilómetros de largo y 35 de ancho. De todas las islas, 17 están habilitadas para el turismo y sólo tres se encuentran habitadas por nativos. Las otras son menos aptas como centros turísticos por lo que probablemente no se construyan más hoteles. Algunas islas de otras zonas se ampliaron artificialmente mediante el uso de dragas y técnicas de paisajismo. Las bombas empleadas para la extracción de arena han causado muchos daños en el arrecife.

Las islas meridionales del atolón de Malé se descubrieron como segunda zona turística de las Maldivas. Muchas islas albergan lujosos complejos turísticos. Se ofrecen excursiones para visitar

Maafushi y Gulhi, dos islas habitadas por nativos donde perduran artesanías tradicionales: confección de alfombrillas y construcción de *dhonis* (barcos típicos).

Como todos los atolones, el atolón sur de Malé fue creado por los arquitectos con más éxito de todos los tiempos: pequeños pólipos de coral. Se trata de formaciones calcáreas de forma circular que pueden sobrevivir bajo o sobre la superficie del agua. En los atolones siempre hay maravillosas lagunas de color turquesa, bancos de arena e islas.

En el extremo norte del arrecife de Vadoo uno se tropieza con Vadoo Cave. Bajo un enorme saliente con corales blandos hay normalmente un enorme banco de pargos; en la corriente pueden verse tiburones de puntas blancas, caballas y atunes. En el arrecife local de

● Atolón sur de Malé

32 FICHA

- ❖ **Profundidad:** 2-30 m
- ❖ **Visibilidad:** 15-50 m
- ❖ **Temperatura del agua:** 27-30 °C
- ❖ **Mejor época del año:** febrero-abril
- ❖ **Dificultad:** ■–■■■
- ❖ **Diversidad de corales:** ■■■■■
- ❖ **Diversidad de peces:** ■■■■■
- ❖ **Peces grandes:** ■■■■
- ❖ **Pecios:** ■■■■
- ❖ **Cuevas:** ■■■■
- ❖ **Paredes:** ■■■■■
- ❖ **Buceo con esnórquel:** ■■■■■

Vadoo Island viven muchas criaturas pequeñas como blénidos, gobios, babosas de mar, rascacios o lanzones. Si la corriente es buena, en Embudu Express pueden vivirse espectaculares encuentros con peces grandes. En esta área protegida, los buceadores expertos tienen asegurado un espectáculo de acción pura con tiburones grises y águilas marinas, igual que en el canal de Guraidhoo, al sur.

En 1991, un carguero fue hundido como atracción turística en Kuda Giri, frente a Dhinganfinolhu. Mide 70 metros de eslora y yace a 34 metros de profundidad. La superestructura está decorada con esponjas de color rojo intenso, en los conductos de ventilación danzan los camarones y, alrededor del coloso oxidado, circula todo aquello que acelera el corazón de un submarinista.

Otros lugares que no hay que perderse son la gran caverna Cathedral, las cuevas y pecios de Potato Reef y la Broken Rock, con sus gargantas, cañones y fotogénicos roncos.

Página contigua: Roncos orientales en el punto de inmersión Canyon, en Embudu

Arriba: Las esponjas crecen en el pecio ubicado en el punto de inmersión Kuda Giri, frente a Dhinganfinolhu

Centro: Un grupo de tiburones acelera el corazón de cualquier submarinista

Abajo: Corales en las corrientes de Embudu Thila

Atolón norte de Ari

CON 105 ISLAS, EL ATOLÓN DE ARI ES EL SEGUNDO MAYOR DE LAS MALDIVAS. COMO EL ATOLÓN DE MALÉ, SE DIVIDE EN UNA PARTE NORTE Y OTRA SUR. MUCHOS BUCEADORES SE DESPLAZARON A ESTA ZONA ATRAÍDOS POR LEGENDARIOS PUNTOS DE INMERSIÓN COMO FISHHEAD.

● Atolón norte de Ari

Durante muchos años, el atolón de Ari tuvo fama mundial por sus excelentes lugares de avistamiento de tiburones. Una mirada al cuaderno de bitácora, el diario del submarinista, revela las diferencias entre entonces y ahora: «22 de julio de 1989, lugar: Fishhead, 24 m, 91 min. Comentario: muchos tiburones grises, rayas, hay que repetir la inmersión». «31 de agosto de 2006, lugar: Fishhead, 25 m, 42 min. Comentario: peces napoleón y un tiburón de puntas blancas, no hay mucho más que destacar».

Uno se pregunta durante cuántos años esta peña submarina fue punto de encuentro de tiburones antes de que los buceadores lo descubriesen. Aunque entre ambas inmersiones sólo han transcurrido 19 años, la situación es hoy muy distinta. Y es que, en 1994, los pescadores locales acabaron con la población de tiburones en una semana, sólo por sus aletas. El *shark finning* provocó indignación en todo el mundo. Además, por el turismo que atrae, un tiburón vivo produce mucho más dinero que sus aletas, por las que los pescadores no recibieron más de 10 dólares.

En 1995, la zona fue declarada área protegida, pero ya era demasiado tarde. Hasta hoy, el entorno y su población de tiburones no se han recuperado. Sin embargo, todavía hay sensacionales puntos de inmersión en el atolón norte de Ari, al que se puede llegar desde Hulhule en un vuelo de unos 30 minutos. En las clásicas islas de submarinistas del lugar cada vez se le da más valor al lujo, por lo que los buceadores más interesados en la belleza que hay bajo el agua suelen embarcarse en cruceros.

Los lugares más populares son Ukulhas Thila, Nika Point y Angehi Kandu, con sus numerosas mantas. No hay que perderse el pecio de *Fesdu*, hermosamente decorado y hundido a una profundidad de entre 24 y 28 metros; tampoco los diablos de mar de Dhonkalo Thila, Bathala Thila, el pecio de *Halaveli* o el arrecife local de Elaidhoo, famoso por su gran banco de pargos.

La frondosa Maaya Thila es especialmente apta para bucear de noche. Hafza Thila es un lugar excepcional por sus peces murciélago, caballas, tiburones grises y tortugas.

El «Early Morning Dive» en la zona de tiburones martillo Big Blue es ya una experiencia legendaria. Está en Kuramathi, la mayor isla turística de las Maldivas, que pertenece al atolón de Rasdu, al norte del atolón de Ari.

Página contigua arriba:
Retrato de un tiburón gris

Página contigua abajo:
Un banco de pargos de rayas azules

Abajo: Tortugas en el nordeste del atolón de Ari

33 FICHA

❖ **Profundidad:** 2-30 m

❖ **Visibilidad:** 15-50 m

❖ **Temperatura del agua:** 27-30 °C

❖ **Mejor época del año:** feb.-abril

❖ **Dificultad:** ■-■■■

❖ **Diversidad de corales:** ■■■■■

❖ **Diversidad de peces:** ■■■■■

❖ **Peces grandes:** ■■■■

❖ **Pecios:** ■■■

❖ **Cuevas:** ■■■

❖ **Paredes:** ■■■■■

❖ **Buceo con esnórquel:** ■■■■■

Atolón sur de Ari

TODO EL TERRITORIO DEL ATOLÓN DE ARI TIENE UN ENORME PESO EN LA ESFERA SUBMARINISTA INTERNACIONAL DESDE MEDIADOS DE LA DÉCADA DE 1980. LA PARTE SUR ES MUY ATRACTIVA POR LA CONCENTRACIÓN DE MANTAS Y TIBURONES BALLENA EN PRIMAVERA.

En lo que concierne al clima, la temporada de buceo en las Maldivas dura en principio 12 meses. Las temperaturas del aire y del agua son siempre subtropicales. El monzón del sudoeste suele traer lluvia y viento a las islas sudoccidentales de todos los atolones de mayo a octubre, por lo que la mejor época para ir al atolón sur de Ari es entre noviembre y diciembre, cuando predomina el monzón del nordeste y el tiempo está más tranquilo.

Además del tiempo, también hay que considerar la presencia de un buen arrecife local a la hora de planear el viaje. Así se puede bucear independientemente de horarios concretos. Un buen ejemplo es el arrecife local de la isla de

Atolón sur de Ari

Vilamendhoo, que dispone de más de 10 entradas y salidas con un cómodo servicio de transporte de botella. El MV *Kudhi Maa* fue hundido justo frente a Machchafushi y puede explorarse sin peligro en cualquier momento del día. La pared del arrecife local de Ranveli desciende de 3 a 36 metros de profundidad y, al encontrarse en medio de un canal con nutritivas aguas, está poblada de morenas, pargos y caballas.

Aunque muchos lugares de inmersión del atolón sur de Ari están relativamente bien protegidos cuando sopla el monzón del nordeste, a veces hay fuertes corrientes en los canales debido a la marea y las fases lunares. Estas corrientes llevan las nutritivas aguas al arrecife exterior, más tranquilo. Por eso, los tiburones ballena suelen visitar la esquina sur del atolón en este

❖ **Profundidad:** 2-30 m

❖ **Visibilidad:** 15-50 m

❖ **Temperatura del agua:** 27-30 °C

❖ **Mejor época del año:** noviembre-abril

❖ **Dificultad:** ■–■■■■■

❖ **Diversidad de corales:** ■■■■■

❖ **Diversidad de peces:** ■■■■■

❖ **Peces grandes:** ■■■■■

❖ **Pecios:** ■■■■

❖ **Cuevas:** ■■■

❖ **Paredes:** ■■■■■

❖ **Buceo con esnórquel:** ■■■■■

período. Delatados por sus aletas dorsales y caudales, los escualos se avistan mejor desde el barco cuando el mar está en calma. Alguien grita «Whaleshark» y comienza el trajín a bordo. Equipados sólo con la máscara, el esnórquel y las aletas, los buceadores intentan acercarse lo más posible a estos titanes y nadar con ellos.

También suelen verse mantas en primavera. Todas las islas tienen lugares conocidos; los situados frente a Rangali y en Mirihi son especialmente recomendables. Thinfushi Thila, Kudarah Thila y Mamigili Faru son sensacionales lugares para contemplar todo tipo de peces y corales. En el arrecife exterior de la isla de Dhidhoofinolhu, mejor conocida como Diva Resort o antiguamente White Sands, es muy probable encontrarse con tiburones ballena. En Dhangethi Corner se dejan ver loros cototos verdes y tiburones.

El mundo submarino de las Maldivas muestra todo su esplendor en Panettone, al norte de la isla de Thundufushi.

Página contigua: Manta en estación de limpieza

Arriba: Tiburón ballena en el meridional arrecife exterior del atolón sur de Malé

Centro: Ronco con peces limpiadores

Abajo: Pargos jorobados en el arrecife exterior de Diva Resort

Atolones del sur

LA MAYORÍA DE LAS ISLAS TURÍSTICAS DE LAS MALDIVAS SE UBICAN EN TORNO AL ATOLÓN DE MALÉ. EL NÚMERO DE SUBMARINISTAS SE REDUCE EN LAS ZONAS PRÓXIMAS AL ECUADOR. SIN EMBARGO, EN LOS ATOLONES MERIDIONALES HAY FANTÁSTICOS PUNTOS DE INMERSIÓN.

● Atolones del sur

Página contigua arriba: La gigantesca hélice del *British Loyalty*, hundido junto a la isla de Gan

Página contigua abajo: Típico banco de fusileros de las Maldivas

Arriba: Pequeños corales blandos en la Golden Wall, en el atolón de Felidhu

Abajo derecha: Mero devorando a sus semejantes

35 FICHA

❖ **Profundidad:** 2-30 m

❖ **Visibilidad:** 15-50 m

❖ **Temperatura del agua:** 27-30 °C

❖ **Mejor época del año:** dic.-abril; Atolón de Addu: febrero-junio

❖ **Dificultad:** ■-■■■■■

❖ **Diversidad de corales:** ■■■■■

❖ **Diversidad de peces:** ■■■■■

❖ **Peces grandes:** ■■■■

❖ **Pecios:** ■■■

❖ **Cuevas:** ■■■

❖ **Paredes:** ■■■■■

❖ **Buceo con esnórquel:** ■■■■■

Los atolones de Nilandhe, Felidhu, Mulaku y Addu, en el sur de las Maldivas, tienen lugares de inmersión tan diversos como los atolones de Malé o Ari. Como en toda la zona de las Maldivas, hay arrecifes de todo tipo: giris (arrecifes que alcanzan la superficie o casi), thilas (arrecifes que terminan de 8 a 10 metros bajo la superficie y presentan a menudo intensas corrientes), farus (arrecifes alargados) o kandus (canales con fuertes entradas y salidas de agua dependientes de las mareas).

Los lugares de buceo del atolón norte de Nilandhe tienen fama internacional desde hace años y sólo se llega hasta ellos desde una base de buceo de la isla de Filitheyo. Además de un heterogéneo arrecife local de hasta 90 metros de profundidad con ocho entradas y salidas, hay 30 lugares más en el entorno cercano. Los bancos de peces recuerdan aún hoy a las Maldivas de la década de 1970.

Los arrecifes del atolón de Felidhu en torno a las islas turísticas de Dhiggiri y Alimatha son menos visitados. Sin embargo, la Golden Wall ostenta un colorido extraordinario; corales blandos rosados, rojos y amarillos adornan macizos enteros en la esquina del canal. Con suerte aparecen tiburones martillo por la mañana temprano en Hammerhead Point, frente a la isla de Fottheyo. En Rakeedhoo Kandu hay muchos cardúmenes y gruesos meros; el canal de Vattaru es un secreto bien guardado entre los buceadores.

El atolón de Addu es el que está más al sur y tiene aeropuerto propio en la isla de Gan. Ésta ofrece dos docenas de puntos de inmersión con jardines de coral duro casi vírgenes y puede practicarse el buceo técnico. En Muda Kan nadan mantas acompañadas de pequeños lábridos limpiadores. En Bushy East Channel se contemplan águilas marinas, peces napoleón y pargos. En Ismahelia, los tiburones descansan, las tortugas se alimentan y las morenas salen a cazar.

Cubierto en gran parte de corales de todo tipo, el petrolero de 134 metros de eslora *British Loyalty* es el mayor pecio de las Maldivas. Los corales se han recuperado aquí bastante bien después de que, en 1998, las corrientes cálidas de El Niño, con temperaturas del agua de hasta 35 grados centígrados, dañasen casi el 70 por ciento de la población. El blanqueo de coral tuvo mayor incidencia en los jardines de coral duro situados más cerca de la superficie y en las zonas donde el agua no podía renovarse a partir de capas más profundas y frías.

Al Mukalla

LOS MUNDOS SUBMARINOS DE YEMEN HAN SIDO POCO EXPLORADOS. SIN EMBARGO, UN MARAVILLOSO PAÍS DE LAS *MIL Y UNA NOCHES* ESPERA A LOS BUCEADORES BAJO EL AGUA.

● Al Mukalla

Abajo izquierda: Sepias en reproducción

Abajo derecha: Morena panal ante la atenta mirada de un buceador

La mayoría asocia Yemen con místicas historias sobre la reina de Saba, la ruta del incienso y el comercio de especias, pero pocos con el buceo deportivo. Sin embargo, merece la pena viajar a este país situado en el sur de la península Arábiga. Hay que tener, eso sí, cierto espíritu aventurero.

La primera autorización para crear una base de buceo en Yemen se concedió en 1995 en la floreciente ciudad portuaria de Al Mukalla. No hay que perderse el arrecife local. La diversidad de morenas del entorno bate posiblemente un récord: en la «capital de las morenas» pueden verse 10 especies diferentes en una sola inmersión. También puede bucearse en el pecio del carguero *Maldive Image*, que encalló en el arrecife cerca del puerto.

A sólo dos kilómetros de la base se encuentran los Rocky Banks, un bajío que se eleva hasta una profundidad de entre 12 y 15 metros bajo la superficie. Aquí se concentra toda la biodiversidad de peces del mar Arábigo: los buceadores son recibidos por miles de peces ballesta, morenas panal se dejan ver delante de sus madrigueras y, de vez en cuando, aparecen incluso tiburones, marlines o atunes.

36 FICHA

- ❖ **Profundidad:** 3-40 m
- ❖ **Visibilidad:** 10-20 m
- ❖ **Temperatura del agua:** 26-31°C
- ❖ **Mejor época del año:** nov.-marzo
- ❖ **Dificultad:** ■–■■■■■
- ❖ **Diversidad de corales:** ■■■
- ❖ **Diversidad de peces:** ■■■■
- ❖ **Peces grandes:** ■■■
- ❖ **Pecios:** ■■
- ❖ **Cuevas:** ■■
- ❖ **Paredes:** ■■■
- ❖ **Buceo con esnórquel:** ■■■

Pemba

UBICADA FRENTE A LAS COSTAS ORIENTALES DE SUDÁFRICA, LA «ISLA VERDE» FORMA PARTE DEL ARCHIPIÉLAGO DE ZANZÍBAR Y PERTENECE POLÍTICAMENTE A TANZANIA. AUNQUE LOS FONDOS MARINOS SITUADOS EN TORNO A LA ISLA Y EN EL CANAL DE PEMBA SON PROMETEDORES, NO RECIBEN MUCHAS VISITAS DE BUCEADORES.

Pemba

L a accidentada y frondosa isla se hizo famosa en 1967 gracias al viejo maestro Jacques Cousteau. El tiempo parece que no pasa para la hermana menor de Zanzíbar, y actualmente sigue causando sensación entre los buceadores.

Sus aguas fueron exploradas primero por buceadores a bordo de cruceros que salían de Kenia. Apartada aún de los circuitos del turismo de masas, la isla dispone hoy de algunos alojamientos y bases de buceo. Además es un destino de los *liveaboards*.

Entre Tanzania y la isla discurre el profundo canal de Pemba, atravesado por mantas, tiburones ballena y otros peces grandes. Cerca de la isla hay numerosos islotes medio deshabitados con una exuberante vegetación tropical.

En torno a la isla de Misali se ubica un parque marino con numerosos canales óptimos para el buceo. En las aguas de Pemba, puede elegirse entre una gran variedad de propuestas: desde abruptas paredes hasta suaves jardines de coral. Los colores del océano van desde el azul de los grandes abismos hasta el turquesa de los aguas poco profundas; la diversidad de peces y colares abarca todos los tamaños.

Arriba izquierda: Barracudas de brillo plateado

Arriba derecha: Pez ángel de semicírculo con rayas de azul eléctrico

Abajo: Esponja barril gigante

....

37 FICHA

❖ **Profundidad:** 5-40 m

❖ **Visibilidad:** 10-35 m

❖ **Temperatura del agua:** 27-31 °C

❖ **Mejor época del año:** oct.-marzo

❖ **Dificultad:** ■–■■■■■

❖ **Diversidad de corales:** ■■■

❖ **Diversidad de peces:** ■■■■

❖ **Peces grandes:** ■■■

❖ **Pecios:** ■

❖ **Cuevas:** ■■

❖ **Paredes:** ■■■■

❖ **Buceo con esnórquel:** ■■■

....

Seychelles

SOBRE EL NIVEL DEL MAR HAY POCOS LUGARES TAN HERMOSOS COMO LAS SEYCHELLES. BAJO EL AGUA, LAS ISLAS DE GRANITO TIENEN UN ASPECTO MÁS SOBRIO PERO IGUALMENTE ENCANTADOR Y FASCINAN POR SU BIODIVERSIDAD DE PECES Y CRUSTÁCEOS.

Seychelles ●

El paraíso de las Seychelles cuenta con 115 islas, está al este de África y al norte de Madagascar y se divide en una zona interior y otra exterior. Las islas interiores están en el Seychelles Bank, en torno a las islas principales de Praslin, La Digue y Mahé, y son el centro de la vida turística y la comunidad nativa de Seychelles. Las islas exteriores son atolones muy pequeños y bancos de arena, que a veces distan más de 1.000 kilómetros de las islas principales. Dada su cercanía al Ecuador, el clima es siempre tropical.

Muchas bases de buceo están integradas en los hoteles de algunas islas. Sin embargo, realizar un crucero por el archipiélago ofrece mucha más diversidad. En Seychelles hay más de 100 lugares de buceo contemplados, cuyo paisaje submarino suele ser parecido.

La visibilidad no siempre es buena y las aguas de la zona carecen de coloridos corales blandos y jardines de coral duro en forma de arrecifes. Las pocas poblaciones de corales fueron muy dañadas por El Niño en 1998, debido a que la temperatura del agua aumentó siete grados centígrados. El tsunami de 2004 también tuvo consecuencias nefastas en algunas islas, tanto sobre como bajo el agua.

El entorno submarino de las Seychelles se caracteriza por sus enormes y pintorescos macizos, que también pueden verse en tierra y forman cañones y gargantas que recuerdan a los fondos atlánticos. Junto a las dos islas de Les Soeurs, estas rocas sumergidas parecen rascacielos, por lo que el lugar recibe el nombre de Manhattan. Las gargantas forman pasajes estrechos,

38 FICHA

❖ **Profundidad:** 5-40 m

❖ **Visibilidad:** 5-25 m

❖ **Temperatura del agua:** 23-30 °C

❖ **Mejor época del año:** abril-mayo y octubre-noviembre (cambio del monzón)

❖ **Dificultad:** ■–■■■

❖ **Diversidad de corales:** ■■

❖ **Diversidad de peces:** ■■■■

❖ **Peces grandes:** ■■■■

❖ **Pecios:** ■■■

❖ **Cuevas:** ■■

❖ **Paredes:** ■■■

❖ **Buceo con esnórquel:** ■■■

donde predadores como las caballas cazan fusileros de lomo amarillo, y las barracudas hacen guardia como centinelas del arrecife. Algunos «rascacielos» llegan hasta la superficie y están decorados con coloridas esponjas, que dan, por así decirlo, un toque artístico al conjunto.

En la pequeña pared junto a la isla de Marianne suelen circular tiburones grises y de puntas blancas; sólo hay que tener algo de paciencia. De tanto en tanto pasan incluso tiburones ballena acompañados de caballas y rémoras, y aparecen águilas marinas surcando las aguas.

Un excelente lugar no cartografiado es Biter Rock, entre Praslin y La Digue. Hay magníficas zonas con rayas de todo tipo frente a la famosa playa de Anse Lazio, en Praslin, así como junto a Booby Island. El grupo de Aldabra, perteneciente a las islas exteriores, tiene fama mundial por sus tortugas gigantes.

Página contigua: Tiburón ballena acompañado de rémoras y caballas

Arriba: Magnífico ejemplar de tiburón peregrino de 3,5 metros de longitud

Centro: Raya guitarra surcando el fondo del mar

Abajo: Primer plano de un mero

Phuket

LA POPULAR ISLA TROPICAL SITUADA EN EL MAR DE ANDAMÁN ES UN VERDADERO BASTIÓN DEL SUBMARINISMO. DISPONE DE EXCELENTES LUGARES TANTO PARA PRINCIPIANTES COMO PARA EXPERTOS Y ES IDEAL PARA PRÁCTICA DEL ESNÓRQUEL.

Phuket

Phuket se encuentra a 900 kilómetros al sur de Bangkok y, con 543 kilómetros cuadrados, es la isla más grande de Tailandia. Idílicas playas de arena, bonitos hoteles, precios accesibles, noches animadas y óptimas conexiones aéreas, convierten las islas en un imán para los turistas. El buceo deportivo está especialmente en auge: más de 80 bases de buceo afianzan la popularidad de Phuket y de las zonas de buceo del entorno, que ofrecen un fantástico escenario submarino lleno de vida y color.

Las salidas en los típicos botes de cola larga son cosa del pasado. Hoy, los buceadores llegados de todo el mundo disponen de una gran flota de modernos barcos de buceo para excursiones de un día o más. En el puerto de Chalong hay una «terminal de buceo», donde los buceadores son llevados por la mañana en vehículos especiales a los diferentes barcos, que esperan a sus pasajeros al final de un largo embarcadero.

Los principiantes bucean normalmente en los arrecifes situados frente a la costa; los expertos se desplazan a lugares de buceo situados a una o dos horas de distancia. En el área protegida en torno al Shark Point, situado a 90 minutos en dirección este, suelen verse serpientes marinas y tiburones leopardo fieles al lugar. Otra atracción son los corales blandos y abanicos de mar. Muy cerca yace derecho el pecio del transbordador *King Cruiser*, hundido en mayo de 1997. Sumergidos a profundidades de entre 12 y 30 metros, los tres niveles

39 FICHA

❖ **Profundidad:** 5-40 m

❖ **Visibilidad:** 10-25 m

❖ **Temperatura del agua:** 27-30 °C

❖ **Mejor época del año:** nov.-abril

❖ **Dificultad:** ■–■■■■■

❖ **Diversidad de corales:** ■■■■

❖ **Diversidad de peces:** ■■■■

❖ **Peces grandes:** ■■■

❖ **Pecios:** ■■

❖ **Cuevas:** ■■■

❖ **Paredes:** ■■■■

❖ **Buceo con esnórquel:** ■■■

del barco son custodiados por peces león, morenas, y crustáceos. Las nutritivas aguas atraen también bancos de diferentes peces. Cerca de allí, en el arrecife de las Anémonas, fascinan los extensos grandes campos de anémonas, que viven en simbiosis con los peces payaso.

En la deshabitada isla de Racha Noi, al sur de Phuket, hay muchas posibilidades de ver mantas y tiburones leopardo. La isla vecina Racha Yai es relativamente virgen y es además adecuada para hacer esnórquel. Ofrece una gran diversidad de peces tropicales y corales duros y blandos de vistosos colores. En general, aquí se efectúan inmersiones a la deriva: los buceadores se dejan llevar por la corriente y son transportados a bordo al final de la inmersión.

Es una delicia sumergirse en torno a las islas Phi Phi, situadas a tres horas de Phuket en dirección este, y bucear en las cuevas de piedra caliza donde revolotean los barrenderos.

Página contigua: Tiburón leopardo en Ko Bid Noc

Arriba: Pez pipa fantasma camuflado perfectamente en un coral látigo

Abajo: Estrella de mar haciendo estiramientos

Ko Lanta

LAS DOS ISLAS LANTA ESTÁN EN LA BAHÍA DE PHANG NGA, AL SUDOESTE DE TAILANDIA. DESDE LANTA YAI PUEDE LLEGARSE A VARIOS PUNTOS DE INMERSIÓN EN LOS QUE HAY ESPECTACULARES JARDINES DE CORALES BLANDOS Y POSIBILIDADES DE VER PECES GRANDES.

Página contigua: ¿Cuántos miles de peces habrá en el punto de inmersión Hin Daeng?

Arriba: Rascacio jorobado enseñando las fauces

Centro: Pez piedra venenoso bien camuflado

Abajo: Anémona de vistosos colores

40 FICHA

❖ Profundidad: 5-40 m

❖ Visibilidad: 10-40 m

❖ Temperatura del agua: 26-30 °C

❖ Mejor época del año: nov.-abril

❖ Dificultad: ■-■■■■■

❖ Diversidad de corales: ■■■■

❖ Diversidad de peces: ■■■■

❖ Peces grandes: ■■■■

❖ Pecios: ■

❖ Cuevas: ■■■

❖ Paredes: ■■■■

❖ Buceo con esnórquel: ■■■■

Al sudeste de Phuket y a unos 79 kilómetros de la ciudad de Krabi se sitúan los islas Lanta Noi y Lanta Yai, dentro del parque nacional de Mu Ko Lanta. La primera está casi deshabitada y la segunda es, comparándola con la bulliciosa Phuket, una tranquila isla turística con bonitas playas. Aquí también hay algunas bases de buceo.

Puede bucearse al este y oeste de la isla en el marco de excursiones de un día o de dos. Algunos cruceros que salen de Phuket también ponen rumbo a estos destinos. Durante la temporada de lluvias en los meses de verano, el buceo no es atractivo en ninguna región ya que el agua se suele enturbiar.

Las inmersiones en la pequeña roca Hin Bida, que sale a la superficie cuando hay marea baja, son de las más atractivas de la zona de Ko Lanta. En el fondo arenoso suelen descansar tiburones leopardo y en la parte este crecen hermosas formaciones de corales blandos. Emocionantes paredes y abanicos de mar esperan a los buceadores en las dos rocas Koh Bida Nai, en cuyas grietas se esconden langostas y otros crustáceos.

Ko Ha, que significa «cinco islas», está a más de una hora en bote desde Saladan Pier, en Lanta Yai. El archipiélago ofrece varios puntos de inmersión interesantes: una cueva que recuerda a una catedral con corales látigo blancos atrae a los buceadores a Koh Ha Yai; en los alrededores acechan rascacios, peces piedra y peces león. Junto a la isla vecina de Ko Ha Nua hay una chimenea maravillosamente decorada llamada Chimney. Va de los 17 a los 5 metros y es lo suficientemente ancha como para no provocar sensación de opresión. Suelen deambular por allí cientos de pequeñas barracudas.

A unos 20 kilómetros al sudoeste del parque natural de Ko Rok Nok se sitúan los dos mejores puntos de inmersión del entorno: Hin Muang y Hin Daeng. Las «rocas lilas» de Hin Muang se elevan hasta 12 metros bajo la superficie y están cubiertas casi completamente de corales blandos de color lila; algo más abajo no es raro ver tiburones leopardo descansado. Aquí está la pared más profunda de Tailandia. Llega hasta unos 70 metros de profundidad y la visibilidad oscila entre los 10 y los 40 metros. A sólo 400 metros de distancia emergen tres pequeñas rocas del agua: Hin Daeng, la «roca roja», debe también su nombre a sus corales blandos.

Aquí viven miles de diminutos peces en cardúmenes y, de junio a abril, los buceadores no pueden sentir más que fascinación pura, ya que el lugar suele ser visitado por tiburones ballena y mantas.

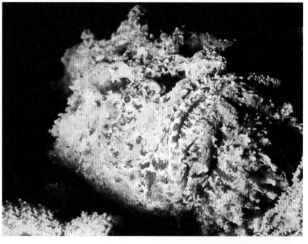

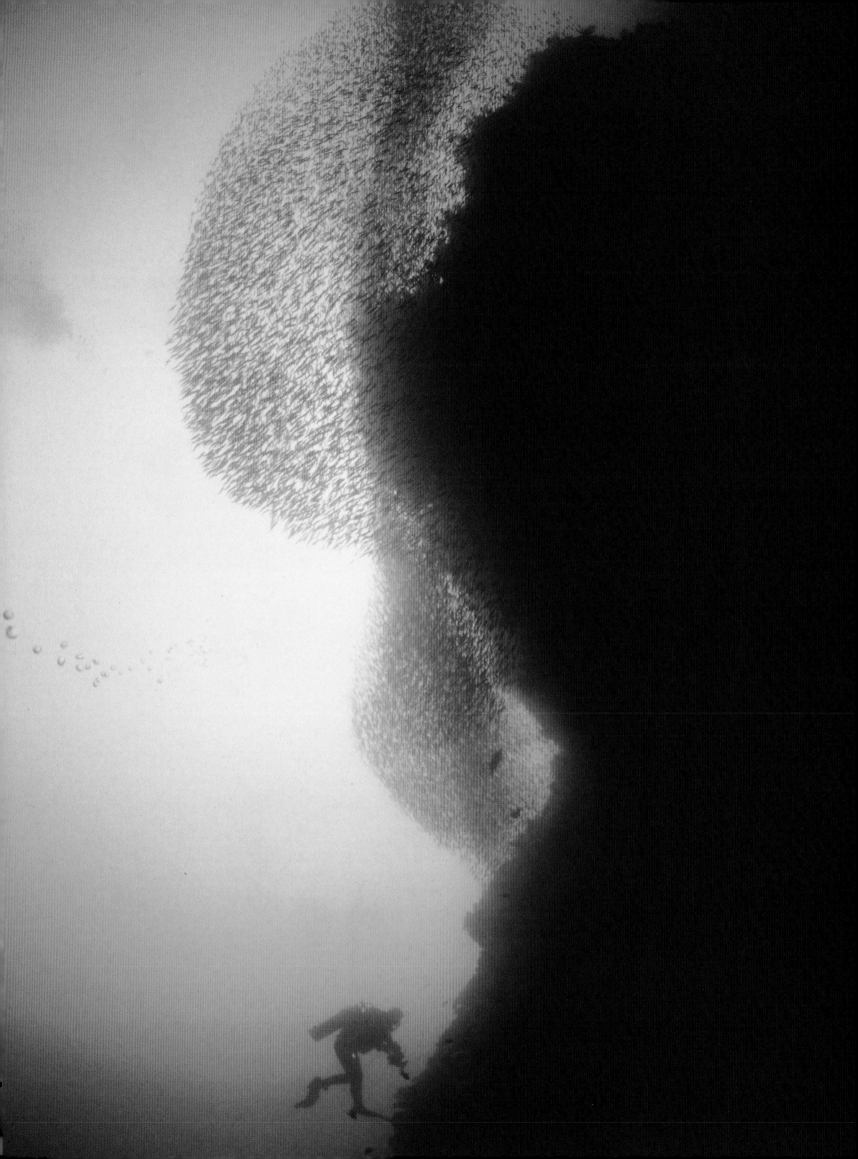

Islas Similan

CUANDO ESTAS NUEVE ISLAS DE GRANITO SE DECLARARON PROTEGIDAS EN 1982, SUS ARRE-
CIFES DE CORAL, POBLADOS DE NUMEROSAS VARIEDADES DE PECES, APENAS TRASCENDÍAN
MÁS ALLÁ DE LOS CÍRCULOS DE ENTENDIDOS. HOY SON FAMOSOS EN TODO EL MUNDO.

Las islas Similan están a 100 kilómetros al noroeste de Phuket, en el mar de Andamán, y se encuentran dentro del parque nacional de Mu Ko Similan, de 128 kilómetros cuadrados. Dado el creciente número de *liveaboards* que salen de Phuket, el turismo de buceo en las islas ha aumentado mucho. Hasta aquí también vienen muchos botes rápidos en viajes de un día desde Khao Lak, a unos 60 kilómetros.

La cadena insular de 25 kilómetros de largo consta de nueve islas. De ahí viene el nombre Similan, que significa 'nueve' en malayo. Para simplificar, las islas se numeraron de sur a norte, pero tienen también un nombre tailandés. Las más de dos docenas de puntos de inmersión

del parque nacional son de los mejores del sudeste asiático. La pesca está prohibida y, para poder bucear, hay que pagar tasas de entrada.

Las islas tienen dos paisajes diversos. La zona oeste, castigada por el viento y las olas y expuesta al monzón del sudoeste, presenta macizos de granito que forman gargantas submarinas, salientes y cuevas. La zona este, con arrecifes de suaves pendientes, permite bucear más sosegadamente. En torno a las islas se cuentan más de 200 especies de corales pétreos y 350 corales blandos diferentes. Desgraciadamente, los encuentros garantizados con tiburones ballena pertenecen al pasado.

En la isla número 3 son muy populares los descensos en aguas abiertas hasta el Sharkfin Reef, poblado de

Islas Similan

41 FICHA

- ❖ **Profundidad:** 5-40 m
- ❖ **Visibilidad:** 20-45 m
- ❖ **Temperatura del agua:** 26-30 °C
- ❖ **Mejor época del año:** octubre-mayo
- ❖ **Dificultad:** ■–■■■■■
- ❖ **Diversidad de corales:** ■■■■■
- ❖ **Diversidad de peces:** ■■■■■
- ❖ **Peces grandes:** ■■■■
- ❖ **Pecios:** ■■
- ❖ **Cuevas:** ■■
- ❖ **Paredes:** ■■■■
- ❖ **Buceo con esnórquel:** ■■■■■

peces arrecifales. En Stonehenge, junto a la isla número 4, hay grandes macizos decorados con gorgonias; la Chinese Wall está poblada por coloridos peces loro. Ko Payu, la isla número 7, deslumbra con tres excelentes puntos de inmersión para principiantes y expertos: en Deep Six, los buceadores encontrarán gargantas y esponjas barril; East of Eden es uno de los arrecifes más hermosos del archipiélago gracias a la inmensa diversidad de corales, las tortugas, las morenas y las serpientes marinas; en las corrientes de Sea Fan City viven abanicos de mar, esponjas, corales blandos y bancos de peces.

Ko Similan, la isla número 8, es la más grande del archipiélago. Al sudoeste se encuentra Elephant Rock. La idílica Donald Duck Bay ofrece un fondeadero y buenas inmersiones nocturnas. En la parte oeste hay un fantástico lugar de inmersión con corales blandos, el Fantasea Reef. El antiguo crucero *Atlantis* yace a

12 metros de profundidad en Beacon Reef. Por él deambulan rayas, morenas y peces murciélago.

La popular isla septentrional número 9, Ko Bangu, está rodeada de siete puntos de inmersión; los mejores son Snapper Alley, North Point y Christmas Point.

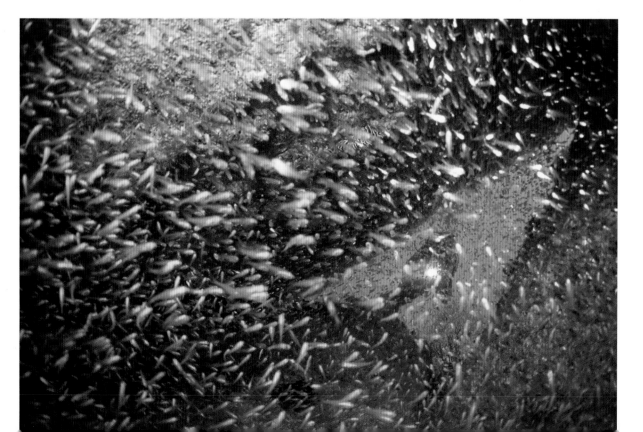

Página contigua: Bloque de corales en el punto de inmersión East of Eden, en las islas Similan

Arriba: Delicados gusanos tubícolas

Abajo: Inmensos bancos de barrenderos obstaculizan la vista en el punto de inmersión Elephant Rock

Islas Surin

LAS ISLAS SURIN ESTÁN CERCA DE LA FRONTERA CON MYANMAR. AL IGUAL QUE RICHELIEU ROCK, KO TACHAI Y KO BON, ESTÁN DENTRO DEL MU KO SURIN NATIONAL PARK. QUIEN VIAJE HASTA AQUÍ ENCONTRARÁ SOBRE TODO UNA COSA: PECES GRANDES.

● Islas Surin

Página contigua arriba: Comátula recogiendo plancton

Página contigua abajo: Corales blandos en Pastel Ridge

Arriba: Pez mariposa de nariz alargada haciendo honor a su nombre

Abajo: El tiburón ballena, un verdadero coloso

....

42 FICHA

❖ **Profundidad:** 5-40 m

❖ **Visibilidad:** 5-25 m

❖ **Temperatura del agua:** 26-30 °C

❖ **Mejor época del año:** oct.-mayo

❖ **Dificultad:** ■-■■■

❖ **Diversidad de corales:** ■■■■

❖ **Diversidad de peces:** ■■■■

❖ **Peces grandes:** ■■■■

❖ **Pecios:** ■

❖ **Cuevas:** ■

❖ **Paredes:** ■■■■

❖ **Buceo con esnórquel:** ■■■■

....

Las islas Surin emergen en el mar de Andamán algo más al norte que las islas Similan. En 1981, este archipiélago, compuesto de cinco islas y algunas formaciones rocosas, fue declarado parque nacional. Las islas están casi deshabitadas, a excepción de los administradores del parque y un asentamiento de los *moken*, un pueblo nómada marino del sudeste asiático.

La zona se sitúa a unos 200 kilómetros de Phuket. Al estar demasiado lejos para las populares excursiones de cuatro días, hay menos cruceros que en las islas Similan. No obstante, quien venga aquí se verá recompensado con puntos de inmersión de primera. Además, las áreas de Richelieu Rock, Ko Ta Chai y Ko Bon están dentro del parque nacional.

Según los expertos, los jardines de coral duro de las islas Surin son de los más bonitos de Tailandia. Sin embargo, los corales blandos y la variedad de peces no son tan interesantes como en el sur del mar de Andamán. En la costa este de Ko Torinla se extiende una altiplanicie de coral duro con grandes corales cuerno de alce; es muy adecuada para hacer esnórquel. En el South East Point de la isla Ko Surin Tai hay dos rocas que discurren paralelas. En la corriente patrullan tiburones de arrecife y en algunos puntos pueden admirarse abanicos de mar. Las morenas cinta y los moluscos bivalvos ofrecen interesantes primeros planos. Hay que tener cuidado con los peces ballesta titán ya que, como habrá podido comprobar algún que otro buceador, defienden ferozmente su territorio con fuertes mordiscos.

El punto de inmersión más popular de Tailandia es Richelieu Rock. Se incorporó al parque en 2005 para proteger su fauna y flora submarinas de los pescadores birmanos. Cuando hay marea baja, las rocas emergen del agua. Durante un tiempo, el avistamiento de peces grandes estaba garantizado al cien por cien. Aún hoy hay muchas posibilidades de toparse con tiburones ballena, mantas y águilas marinas. Lo que sí se ven siempre son barracudas y caballas, así como peces pipa fantasma y peces sapo camuflados. En Richelieu Rock hay que planificar en cualquier caso varias inmersiones.

Las islas Ko Bon y Ko Tachai son famosas por sus maravillosos jardines de coral blando y, con suerte, aquí también pueden verse tiburones ballena. Suele haber fuertes corrientes en torno a la montaña submarina de

entre 14 y 35 metros de profundidad situada frente a Ko Tachai. En Pastel Ridge, en la zona de Ko Bon, la loma de la montaña, vestida de variopintos corales blandos, es algo más profunda y recibe la visita frecuente de tiburones leopardo y mantas.

Myanmar

LOS MUNDOS SUBMARINOS SITUADOS EN TORNO AL ARCHIPIÉLAGO DE MERGUI Y LOS BURMA BANKS SE OFRECEN VÍRGENES Y LLENOS DE AVENTURAS: SÓLO HA SIDO EXPLORADA UNA PEQUEÑA FRACCIÓN DE ESTE EXTENSO TERRITORIO.

Myanmar

Los viajes de buceo a Myanmar (antes conocido como Birmania) tienen un carácter expedicionario. Se distinguen dos regiones de buceo, situadas ambas al sur del país y al norte del mar de Andamán: el archipiélago de Mergui y los Burma Banks.

El archipiélago de Mergui se compone de más de 800 islas muy frondosas, de las que sólo algunas están habitadas desde hace siglos por nómadas marinos. Los *moken* habitan también en botes y viven sólo de la pesca. Myanmar fue administrado hasta 1948 por Inglaterra; hoy, la república socialista está gobernada por una dictadura militar, que abrió el archipiélago como región de buceo en 1997.

El único centro de buceo de todo el archipiélago está en la isla Macleod. Por eso, la mayoría de los buceadores llegan a las islas a bordo de cruceros. Éstos salen desde la ciudad de Kawthaung, cercana a la frontera, la isla tailandesa de Phuket o Tablamu Pier, en Phang Nga, pero todos ellos deben pasar siempre por Kawthaung para resolver las formalidades fronterizas.

Como en muchos lugares de inmersión del archipiélago de Mergui, en Haa Mile Hin hay hermosas paredes, profundas gargantas y una fantástica variedad de corales. Otros conocidos lugares son Shark Cave, donde tiburones de arrecife se cruzan con bancos de anchoas en una garganta, o Three Islet, por donde los elegantes depredadores también pasean.

43 FICHA

- ❖ **Profundidad:** 5-40 m
- ❖ **Visibilidad:** 10-30 m
- ❖ **Temperatura del agua:** 25-29 °C
- ❖ **Mejor época del año:** nov.-abril
- ❖ **Dificultad:** ■■■–■■■■■
- ❖ **Diversidad de corales:** ■■■■
- ❖ **Diversidad de peces:** ■■■■
- ❖ **Peces grandes:** ■■■■
- ❖ **Pecios:** ■
- ❖ **Cuevas:** ■■■
- ❖ **Paredes:** ■■■■
- ❖ **Buceo con esnórquel:** ■■

Situada a unos 200 kilómetros al noroeste de Kawthaung, Black Rock es un imán para diferentes tiburones y mantas. Sin embargo, no debe olvidarse que se cazaron tiburones y que el archipiélago no se declaró «Shark Protection Zone» (área protegida para tiburones) hasta 2004. Actualmente, el gobierno intenta crear un parque nacional y un parque marino.

Más al oeste se encuentran, totalmente desprotegidos, los Burma Banks, una altiplanicie submarina de vistosos colores en medio de la nada. Merece la pena llegar hasta allí, lo cual es posible desde 1990. Antes de que las poblaciones de tiburones nodriza y de puntas plateadas fueran diezmadas en el Silver Tip Bank, la zona era una verdadera sensación. En todo caso, el mero patata sigue estando aquí bien representado. Otros lugares ubicados en los Burma Banks son Big Bank, Rainbow Bank, Roe Bank y Heckford Bank.

Página contigua: Mero patata en Silver Tip Bank

Arriba: Tiburón de puntas plateadas surcando las aguas del océano Índico

Centro: Tiburón nodriza en Silver Tip Bank

Abajo: Gran pastinaca en Black Rock

Al norte de Australia, el Indo-Pacífico ocupa la zona en la que se cruzan las aguas del océano Índico y el Pacífico occidental. Incluyendo sus mares adyacentes, este territorio oceánico presenta la biodiversidad marina más rica del planeta. Ningún buceador debería perderse la flora y fauna submarinas de los miles de lugares de inmersión situados en estados insulares como Filipinas, Indonesia o Malasia.

INDO-PACÍFICO

Raja Ampat

EL ARCHIPIÉLAGO DE RAJA AMPAT SE ENCUENTRA FRENTE A LAS COSTAS DE INDONESIA, MÁS ALLÁ DE LA CIVILIZACIÓN. EL ENTORNO ES UN PARAÍSO PARA LOS BUCEADORES. AQUÍ SE ENCUENTRA LA ISLA KRI, QUE CUENTA CON LA ICTIOFAUNA MÁS IMPORTANTE DEL PLANETA.

Raja Ampat ●

Página contigua: Exuberante ramillete de corales blandos

Arriba: Caballito de mar pigmeo bargibanti

Centro: Una manta cruza un banco de fusileros

Abajo: Camarón mantis en las costas de la isla Wai

44 FICHA

❖ **Profundidad:** 2-40 m

❖ **Visibilidad:** 10-30 m

❖ **Temperatura del agua:** 27-30 °C

❖ **Mejor época del año:** sept.-feb. y abril-julio

❖ **Dificultad:** ■–■■■■■

❖ **Diversidad de corales:** ■■■■■

❖ **Diversidad de peces:** ■■■■■

❖ **Peces grandes:** ■■■■

❖ **Pecios:** ■■■■

❖ **Cuevas:** ■■■

❖ **Paredes:** ■■■■

❖ **Buceo con esnórquel:** ■■■■

El viaje a las islas situadas frente a la provincia indonesia de Papúa Occidental, que ocupa la parte este de Nueva Guinea Occidental, resulta largo para muchos, aún así, merece absolutamente la pena. En el propio archipiélago de Raja Ampat sólo hay tres bases de buceo pero, hace algún tiempo, varios barcos incluyeron en su ruta los puntos de inmersión de las islas Waigeo, Batanta, Salawati y Misool (véase lugar de buceo n.º 45), así como otras islas pequeñas al oeste de Sorong.

El holandés Max Ammer empezó a explorar el territorio en 1990. Descubrió grandes barcos japoneses hundidos, aviones de la Segunda Guerra Mundial y, sobre todo, una insólita variedad de peces y corales. 2001 fue un buen año para Raja Ampat. El científico Gerald Allen contó los peces del arrecife local de la isla Kri. Al emerger, su pizarra mostraba el número 283: un nuevo récord mundial en una única inmersión. Antes lideraba la famosa Milne Bay, en la parte este de Papua Nueva Guinea, con unas 200 especies. Raja Ampat presenta actualmente unas 970 especies de peces diferentes. En el caso de los corales duros, se cuentan 565 tipos, lo cual supone la mitad de todas las especies de corales del mundo.

Las zonas de mantas de la isla Mansur, al norte del archipiélago, son sensacionales. Están cerca de la base de buceo de Kri, donde los enormes diablos de mar reciben los servicios de peces limpiadores y se reúnen al mediodía en la superficie para alimentarse. Aquí descansan de día curiosos tiburones bambú en pequeñas cuevas. Bajo un discreto embarcadero en la isla Arborek pasan disparados millones de brillantes pejerreyes, un banquete para predadores veloces. En Mike's Point se descubrieron tres tipos de caballito de mar pigmeo y se ven diferentes especies de roncos bajo acróporas aplanadas. Los que hagan esnórquel disfrutarán de enormes gorgonias, que abundan ya a tres metros de profundidad.

El *Passage* entre las islas Gam y Waigeo resulta extraordinario. Para llegar allí, se atraviesa el laberinto verde de los Blue Water Mangroves, donde muchos peces se hacen adultos. La corriente del *Passage*, parecido a un canal y de sólo 20 metros de anchura, puede ser fuerte, pero tiene muchos nutrientes que atraen a corales blandos, esponjas, babosas y peces.

Aquí encontramos *wobbegongs* o tapiceros, y en el fondo arenoso viven diversos gobios.

En la región se hacen muchas inmersiones a la deriva, más indicadas para buceadores con experiencia, pero también hay lugares más tranquilos para principiantes.

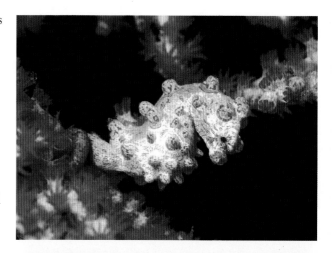

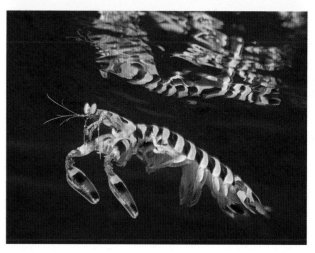

Misool

EN EL SUR DE RAJA AMPAT, TERRITORIO DESTACADO POR SU VARIEDAD DE CORALES,
SE ENCUENTRA LA ISLA MISOOL. ESTÁ RODEADA POR UN VERDADERO LABERINTO INSULAR,
QUE FUE DECLARADO ZONA MARINA PROTEGIDA EN 2007.

Misool ●

La enorme área en torno a Misool, situada al sudoeste de la península Cabeza de pájaro en Papúa Occidental, está salpicada de islotes. Algunos no tienen nombre y ni siquiera aparecen en los mapas de navegación actualizados. El laberinto de caliza y basalto está justo bajo el Ecuador y tiene puntos de inmersión todavía por descubrir. En sus expediciones, los biólogos marinos tropiezan a menudo con nuevas especies de coral.

Los únicos turistas del entorno de Misool permanecen en un pequeño centro de buceo en la isla privada Batbitim, o bien vienen en cruceros. La mayoría de los viajes de buceo se inician en Sorong, en la costa oeste de Nueva Guinea.

Sorong significa «mar profundo» en la lengua de los *biak*, el pueblo que ocupó primero este territorio. Sin embargo, las profundidades en torno a los miles de islotes salpicados en las aguas de Misool son más bien moderadas. Aquí se bucea en canales y en paredes junto a unas islas en forma de seta con densa vegetación, palmeras y orquídeas.

En Killer Cave no hay ni un centímetro libre. Todo está saturado de colores y formas, incluso a la profundidad de parada. Sólo hay que descender tres metros para encontrar ya altísimas gorgonias rivalizando por conseguir los mejores sitios. En Papua Phanta Sea se aglomeran abanicos de mar, cladiellas y corales látigo. Junto a la isla Gamfi pueden verse diminutos caballitos de mar pigmeos. En Damfu, los decorados arrecifes se

45 FICHA

....

❖ **Profundidad:** 2-40 m

❖ **Visibilidad:** 10-30 m

❖ **Temperatura del agua:** 26-30 °C

❖ **Mejor época del año:** oct.-mayo

❖ **Dificultad:** ■–■■■■■

❖ **Diversidad de corales:** ■■■■■

❖ **Diversidad de peces:** ■■■■■

❖ **Peces grandes:** ■■■

❖ **Pecios:** ■

❖ **Cuevas:** ■■■

❖ **Paredes:** ■■■■■

❖ **Buceo con esnórquel:** ■■■■■

....

precipitan abruptos hasta los 70 metros. La cumbre de la montaña acuática atrae a numerosos peces.

El suizo Edi Frommenwile explora la zona desde 1992 con su barco *Pindito* y conoce el mundo submarino de Misool como ninguno. Entre los más de 100 puntos de inmersión que ha descubierto, sus favoritos son Fiabajet, un interesante bajío en medio de corrientes, y Vrenelis Gärtli, donde viven todo tipo de criaturas marinas en cuevas.

Los puntos de inmersión de Misool fascinan durante el día con diversos abanicos de mar, coloridas babosas, fusileros y peces napoleón. Las inmersiones nocturnas merecen especialmente la pena para ver cangrejos camuflados con anémonas o corales.

Página contigua: Varias comátulas, pirotecnia de colores bajo el agua

Arriba: Los maravillosos corales de estas aguas se superan en su exuberante colorido

Abajo: Los peces payaso viven en simbiosis con las anémonas

Mar de Banda

COMO PARTE DEL ENTORNO MARINO DE AUSTRALASIA, EL MAR DE BANDA SE UBICA ENTRE
SULAWESI, LAS ISLAS MENORES DE LA SONDA Y LAS MOLUCAS. ES UNA REGIÓN DE MUCHAS
CORRIENTES QUE OFRECE TODO LO QUE EMOCIONA A LOS SUBMARINISTAS MÁS CURTIDOS.

El mar de Banda tiene unas dimensiones de
1.200 por 600 kilómetros. El archipiélago de
Banda está en la zona central, donde suelen
bucear los conocedores atraídos por la variedad de
corales y peces. Pertenece a las Molucas y, hasta
mediados del siglo XIX, fue conocido por el comercio de especias, especialmente de nuez moscada.
Al hablar de la región de Banda, también se cuentan las siguientes islas: Ambon, Seram, Saparua,
Molana, Nusa Laut, Manuk y las islas Lucipara.

Hay bases estacionarias en algunas islas y también una buena oferta de cruceros para aquellos
que deseen abarcar más. La mayoría de los viajes
de buceo se inician en la ciudad de Ambon, situada
en la isla homónima.

En las aguas de Ambon y Saparua, los fotógrafos y
cámaras submarinos sienten especial fascinación por la
flora y fauna de pequeñas dimensiones. Aquí pueden
colocar su objetivo frente a morenas cinta, camarones
mantis y peces hoja escorpión de diferentes colores.
En Batu Karang, junto a Nusa Laut, hay que cambiar
de objetivo y pasar al gran angular, ya que aquí uno se
tropieza con paredes de gorgonias, inmensos bancos
de atunes y algunos tiburones martillo grandes.

Karam Peketo es un arrecife completamente
intacto situado frente a la localidad de Haya, en la parte
sur de Seram. Aquí crecen gorgonias gigantes, bosques
de corales látigo y altas esponjas barril. El excelente
punto de inmersión Tempat Susa, en el vértice oriental
de la isla, está poblado de corales negros, cientos de

Mar de Banda ●

❖ **Profundidad:** 2-40 m

❖ **Visibilidad:** 15-40 m

❖ **Temperatura del agua:** 27-30 °C

❖ **Mejor época del año:** octubre-diciembre
  y marzo-abril

❖ **Dificultad:** ■■■–■■■■■

❖ **Diversidad de corales:** ■■■■■

❖ **Diversidad de peces:** ■■■■■

❖ **Peces grandes:** ■■■■

❖ **Pecios:** ■■

❖ **Cuevas:** ■■■

❖ **Paredes:** ■■■■■

❖ **Buceo con esnórquel:** ■■■■■

peces murciélago, tortugas y gruesos meros. Con algo
de suerte se ven grupos de rayas en las superficies
arenosas.

La isla Manuk, que emerge de las profundidades
como si fuese la cabeza de un alfiler, sólo se convierte
en un buen destino si el tiempo es favorable. Esta isla
volcánica todavía activa bajo las olas no está recogi-
da en los mapas y pertenece al Cinturón de Fuego
del Pacífico. Se hizo famosa por sus serpientes marinas
y también por la práctica frecuente del *shark finning*
en sus aguas.

El volcán de la isla Api, en el archipiélago de
Banda, entró en erupción por última vez en 1988. En
el lugar donde la lava se deslizó hasta el mar crecieron
en 10 años acróporas aplanadas con un diámetro de
2,50 metros. También son muy conocidas la Catedral,
con sus abanicos de mar de hasta seis metros cuadrados, y las dos montañas submarinas de Batu Kapa,
entre las que deambulan los peces.

Página contigua: Tiburón martillo
ascendiendo desde las profundidades marinas

Arriba: Serpiente marina venenosa
en su escondrijo

Centro: Babosas en pleno acto
amoroso

Abajo: Caracol cono, pequeño
pero sumamente peligroso

Komodo

LA ISLA PERTENECE A LAS ISLAS MENORES DE LA SONDA Y ESTÁ DENTRO DE UN PARQUE NATURAL RECONOCIDO POR LA UNESCO COMO PATRIMONIO DE LA HUMANIDAD. SU MUNDO SUBMARINO CONSTITUYE UNA REGIÓN DE BUCEO EXTRAORDINARIA, PERO MUY EXIGENTE.

La isla de Komodo también es conocida como la «isla de los dragones» por los famosos dragones de Komodo. El Parque Nacional de Komodo, creado originariamente en 1980 para proteger los varánidos, está a unos 500 kilómetros al este de Bali, entre Sumbawa y Flores. Abarca las islas de Komodo, Rinca y Padar, y varias islas menores. Declarado Patrimonio de la Humanidad en 1991, tiene una superficie de 1.817 kilómetros cuadrados. El área marina protegida ocupa aproximadamente dos tercios de este territorio.

En el territorio del parque natural viven unas 4.000 personas. Los buceadores suelen llegar aquí en cruceros que salen de Bali. En el oeste de la vecina isla de Flores también hay una base de buceo desde la que salen barcos hacia el área de Komodo desde 1991. Ya entonces, los buceadores sentían fascinación por la fauna y la flora que prosperan en torno a Komodo y Rinca.

La extraordinaria biodiversidad y las interesantes estructuras coralinas convierten estas aguas en un destino de primera clase. Aquí viven grotescos cangrejos, singulares calamares y pequeños e interesantísimos peces de arrecife, como los magistralmente camuflados peces sapo, los insólitos peces escorpión o los venenosos peces piedra. Además puede esperarse la aparición de peces grandes.

Las aguas del sur de Komodo son muy nutritivas, debido a las fuertes corrientes que se producen todo el año cuando el mar de Flores se encuentra con el

Komodo ●

océano Índico, algo más frío. Así, es habitual encontrarse con tiburones, mantas y grupos grandes de loros cototos verdes, águilas marinas, atunes e incluso dugongos, peces luna o tiburones ballena. El llamado «efecto lavadora» que se produce en algunos puntos de inmersión convierte la zona en una región de buceo algo difícil. Los buceadores deben ser muy responsables, ya que la cámara de descompresión más cercana está en Bali.

Además de la isla de los dragones, el GPS Point, un bajío en el que se dan cita muchos peces grandes, y la Highway to Hell, donde la velocidad está garantizada, son puntos de inmersión obligados. En la Horseshoe Bay, en Rinca, hay también excelentes puntos de inmersión, por ejemplo, la mundialmente famosa Cannibal Rock o la Yellow Wall, vestida de impresionantes colores. Si se ofrecen inmersiones nocturnas, no hay que perdérselas.

Arriba izquierda: Arrecifes de ensueño junto a la isla de Rinca

Arriba derecha: Impresionante paisaje de corales

Izquierda: Ojos de un camarón mantis

....

 FICHA

❖ **Profundidad:** 5-40 m

❖ **Visibilidad:** 5-30 m

❖ **Temperatura del agua:** 20-28 °C

❖ **Mejor época del año:**
norte: abril-oct. y sur: oct.-marzo

❖ **Dificultad:** ■■■–■■■■■

❖ **Diversidad de corales:** ■■■■■

❖ **Diversidad de peces:** ■■■■■

❖ **Peces grandes:** ■■■■

❖ **Pecios:** ■

❖ **Cuevas:** ■■■■

❖ **Paredes:** ■■■■■

❖ **Buceo con esnórquel:** ■■■

....

Bali

BALI ES LA ISLA INDONESIA MÁS DESEADA POR LOS SUBMARINISTAS. CON PUNTOS DE INMERSIÓN INCREÍBLEMENTE VARIADOS, LA «ISLA DE LOS DIOSES Y DEMONIOS» FASCINA TANTO A LOS PRINCIPIANTES COMO A LOS EXPERTOS.

Bali ●

La isla más al oeste de las Islas Menores de la Sonda es la más famosa de Indonesia. En la capital Denpasar, al sur, hay un gran aeropuerto internacional. Sobre todo centros turísticos del sur como Kuta, Legian o Sanur se vuelvan cada vez más grandes, llenos y lujosos. En Bali hay casi 100 bases de buceo; muchos de los lugares de inmersión están algo apartados y conservan aún un agradable encanto.

Unas vacaciones no permiten bucear en todos los puntos de inmersión de la isla. Para hacerse sólo una idea general del panorama submarino, se necesitan dos semanas (contando con que hay que desplazarse grandes distancias y cambiar de hotel). La embriagadora mezcla de aromas de flores, varillas de incienso y cigarrillos aromatizados con clavo de especia impregna toda la isla y sólo se esfuma cuando uno se coloca el regulador y se sumerge en el agua, donde sólo puede respirarse aire filtrado.

En el noroeste de Bali está el puerto natural y lugar de inmersión Secret Bay, directamente frente a Java. Si los demonios viven bajo el agua, como creen los balineses, debe de ser aquí. La máscara de buceo permite ver criaturas verdaderamente escalofriantes como peces sapo, peces pipa fantasma, peces piedra, cabrachos y muchos otros. Algo más al norte está la isla de Menjangan, en medio de un parque natural. Casi todos los arrecifes tienen paredes, una rica ictiofauna y un denso manto de corales, esponjas y gorgonias.

48 FICHA

- ❖ **Profundidad:** 5-40 m
- ❖ **Visibilidad:** 10-40 m
- ❖ **Temperatura del agua:** 23-30 °C
- ❖ **Mejor época del año:** abril-nov.
- ❖ **Dificultad:** ■–■■■■■
- ❖ **Diversidad de corales:** ■■■■
- ❖ **Diversidad de peces:** ■■■■
- ❖ **Peces grandes:** ■■■■
- ❖ **Pecios:** ■■■
- ❖ **Cuevas:** ■■■
- ❖ **Paredes:** ■■■■■
- ❖ **Buceo con esnórquel:** ■■■■

Se los considera los mejores de la isla y sus aguas ofrecen la mayor visibilidad.

En Lovina, en la costa norte, hay varias bases estacionadas; algo más al este, la zona se vuelve más tranquila. Con un arrecife hermoso y fácil de explorar, la región de buceo de Alam Anda es aún hoy un secreto bien guardado. No lejos de allí, en Tulamben, yace el pecio del *Liberty*, estupendamente conocido por los guías. En sus 120 metros de eslora está bien representada la biodiversidad del Indo-Pacífico.

En el este de Bali suelen visitarse los arrecifes en torno a Amed. Frente a Candidasa están las islas Tepekong y Gili Mimpang, muy castigadas por las corrientes y en cuyas aguas pueden verse tiburones y peces luna. Éstos también nadan en torno a las islas Nusa Lembongan y Nusa Penida. Según la temporada, por aquí también pasan las mantas, los plácidos gigantes de los mares, atraídas por los nutrientes que proporcionan las intensas corrientes de marea reinantes en el abismo del estrecho de Lombok, que separa Bali de la plataforma continental asiática.

Página contigua: Una mirada a través del ojo de buey del *Liberty*

Arriba: Dragoncillo bien camuflado

Centro: Anguilas peces-gato curiosas

Abajo: Diminuto calamar bobtail de brillantes colores

Atolón de Maratua

EL ATOLÓN DE MARATUA SE ENCUENTRA FRENTE A LA COSTA ORIENTAL DE KALIMANTAN, LA PARTE INDONESIA DE BORNEO. DESDE 2001 EXISTE UN CENTRO DE BUCEO ECOLÓGICO EN LA ISLA NABUCCO. AQUÍ Y EN LAS ISLAS PRÓXIMAS HAY MARAVILLOSOS LUGARES DE INMERSIÓN.

Atolón de Maratua ●

Para llegar al paraíso de buceo del atolón de Maratua, «sólo» hay que volar hasta Balikpapan, al sur de Borneo, tomar otro avión a Berau y hacer un viaje de tres horas en bote. Maratua es la isla más grande del atolón y forma una enorme laguna. En torno a la isla, el mar de Sulawesi alcanza a veces los 2.000 metros de profundidad. Nabucco es una de las islas pequeñas que hay en el este de la laguna. Su nombre indonesio, Pulau Papahanan, significa «isla de los corales».

El Nabucco Island Resort demuestra que la conciencia ecológica puede conciliarse con el lujo. Existen cómodos bungalows como lugar de alojamiento, construidos sobre el agua según el estilo típico del lugar y erigidos en armonía con la naturaleza, sin talar ni una sola palmera. Disponen de un sistema de saneamiento compatible con el medio ambiente y un sistema propio de tratamiento de agua dulce. El agua caliente se obtiene mediante energía solar.

Entre Nabucco y Maratua hay algunos canales interesantes donde suele practicarse el buceo extremo a la deriva. En el canal de aguas nutritivas Big Fish Country se ven gigantescos bancos de barracudas y otros peces grandes.

Se tarda muy poco en llegar a los diversos puntos de inmersión del atolón, donde casi siempre se avistan grandes tiburones nodriza y de puntas blancas en cuevas. Con algo de suerte también pueden aparecer tiburones grises, tiburones leopardo o peces zorro. Caballas y atunes cazan permanentemente junto a las paredes cubiertas de corales. Casi en todas partes se ven grandes y mansas tortugas. El entorno también tiene mucho que ofrecer a la macrofotografía, ya que aquí viven peces sapo, rascacios, peces mandarín o babosas.

La excursión de una hora en bote a la isla de Sangalaki es fantástica. La población de mantas, la variedad de corales y las tortugas, que visitan la isla para poner sus huevos, son famosas internacionalmente. Las mantas pueden avistarse casi todo el año y son delatadas por las puntas de sus alas, que sobresalen de la superficie del agua. Algunos buceadores dicen haber contado más de 80 animales en una sola inmersión. También es posible hacer esnórquel con las «águilas de los mares», una verdadera delicia.

En el año 2008 se inauguró otro centro de buceo ecológico en la isla de Nunukan, en el extremo sur del atolón. Pueden realizarse inmersiones en el arrecife, una pared de más de 45 metros de profundidad. Desde aquí también es posible llegar a los puntos de inmersión de Nabucco, o bien ponerse en marcha hacia zonas que todavía permanecen inexploradas en la extensa región.

Página contigua arriba: Manta en las aguas de Sangalaki

Página contigua abajo: Codo a codo con una tortuga

Abajo: Numerosas barracudas en formación

49 FICHA

❖ **Profundidad:** 5-45 m

❖ **Visibilidad:** 5-30 m

❖ **Temperatura del agua:** 27-30 °C

❖ **Mejor época del año:** abril-oct.

❖ **Dificultad:** ■-■■■■■

❖ **Diversidad de corales:** ■■■■

❖ **Diversidad de peces:** ■■■■

❖ **Peces grandes:** ■■■■

❖ **Pecios:** –

❖ **Cuevas:** ■■■

❖ **Paredes:** ■■■■■

❖ **Buceo con esnórquel:** ■■■

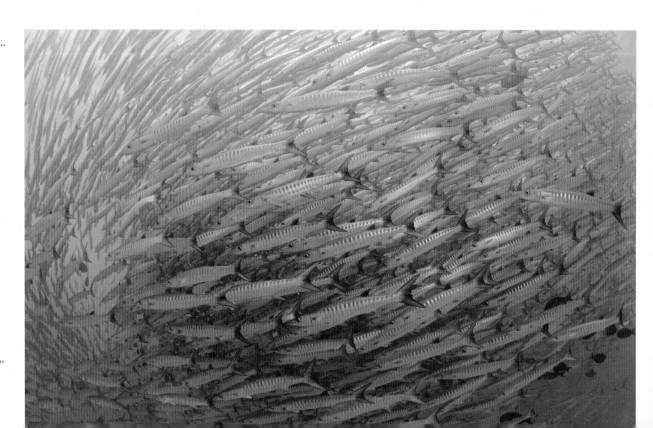

Kakaban

EN ESTA ISLA HAY UN TESORO GEOLÓGICO Y BIOLÓGICO: UN LAGO LLENO DE MEDUSAS DE CINCO KILÓMETROS CUADRADOS. AUNQUE NO TIENE CONEXIÓN DIRECTA CON EL MAR, SUS AGUAS SON SALOBRES. BUCEAR AQUÍ ES UNA EXPERIENCIA ÚNICA.

Kakaban

Página contigua arriba: Diferentes esponjas en una raíz de mangle

Página contigua abajo: Medusas sin células urticantes dañinas para el hombre

Abajo izquierda: Serpiente marina venenosa con buceadora haciendo esnórquel en Jellyfish Lake

Abajo derecha: Con algo de suerte pueden verse varánidos (el de la fotografía toma aire tras una inmersión)

La deshabitada isla de Kakaban se sitúa en el mar de Sulawesi, frente a la costa oriental de Borneo, entre las islas de Maratura y Sangalaki. Los arrecifes del entorno están parcialmente deteriorados pero en el Barrakuda Point, situado en un lugar de muchas corrientes frente a la punta sudoeste, es posible ver peces grandes, como los espléndidos tiburones leopardo.

No obstante, los buceadores suelen a venir a Kakaban atraídos por otro aliciente. En el centro de la isla hay un lago de 10.000 años de antigüedad lleno de medusas. El Jellyfish Lake se formó en el Holoceno, la última época geológica del período Cuaternario, cuando la isla emergió de las profundidades. El lago de agua salobre ocupa hoy el 70 por ciento de la isla. El nivel del lago está sometido a las mareas, por lo que los científicos suponen que el agua del mar se filtra a través del fondo. Sin embargo, la poca salinidad no permite que aquí se desarrolle la biodiversidad marina. Se supone que en el lago se forman y se reciclan nutrientes esenciales para la vida.

Al lago se llega caminando 10 minutos desde la costa. Unas escaleras de madera y unas pasarelas conducen por la dorsal de la isla, un extraño borde arrecifal de unos 300 metros de ancho y 50 metros de alto,

y a través de la jungla. Es posible bucear con la escafandra pero, ya que las escenas más hermosas acaecen justo bajo la superficie del agua, basta con la máscara, las aletas y el esnórquel.

Con el paso de los siglos se ha desarrollado un ecosistema único. Pueden observarse animales y plantas que normalmente sólo habitan en las desembocaduras de los ríos. Su principal atractivo son las miles de medusas no urticantes. En Kakaban viven cuatro especies de medusas diferentes. Algunas nadan cerca de la superficie y se orientan al sol; otras yacen en el fondo plagado de algas con la subumbrela hacia arriba. Aquí no tienen enemigos naturales grandes, a excepción de pequeñas anémonas para las que son una nueva fuente de alimentación. Éstas consiguen apresar las medusas a pesar de la diferencia de tamaño. Los buceadores deben avanzar con cuidado para no herir a los gelatinosos animales.

Otra sensación son las encantadoras atmósferas submarinas que se crean en la orilla del lago. En los manglares se desarrollan numerosas especies de esponjas, que parecen motas de color en el lago verdoso. Además de ocho tipos de peces diferentes, aquí viven cohombros y babosas de mar. Con algo de suerte, es posible llegar a ver varánidos buceando en este verdadero milagro de la naturaleza.

50 FICHA

❖ **Profundidad:** 0-17 m

❖ **Visibilidad:** 8-15 m

❖ **Temperatura del agua:** 27-30 °C

❖ **Mejor época del año:** abril-oct.

❖ **Dificultad:** ■

❖ **Diversidad de corales:** –

❖ **Diversidad de peces:** ■■

❖ **Peces grandes:** –

❖ **Pecios:** –

❖ **Cuevas:** –

❖ **Paredes:** –

❖ **Buceo con esnórquel:** ■■■■■

Sulawesi Meridional

EN TORNO A LA ISLA DE SULAWESI HAY MUCHOS PUNTOS DE INMERSIÓN DE ESPECIAL INTERÉS.
AL SUR, LOS MEJORES LUGARES ESTÁN JUNTO A LA ISLA SELAYAR, EN EL MAR DE SULAWESI,
Y LA ISLA TOMIA, EN EL MAR DE BANDA. EN AMBAS HAY CENTROS DE BUCEO ECOLÓGICO.

La isla indonesia de Sulawesi, la antigua Célebes, se encuentra entre Borneo y Nueva Guinea. Al sur está la isla Selayar. El Selayar Dive Resort se construyó en una maravillosa playa solitaria situada al este. Comprometido con el turismo ecológico, el operador del centro ha luchado para que el entorno submarino de la zona se convirtiese en área protegida. Desde la fundación del parque marino en 2000, la ictiofauna ha aumentado considerablemente. Aunque la isla es conocida entre los submarinistas, aquí se puede bucear libremente alejado de las masas. La razón puede ser el largo viaje desde el aeropuerto de Makassar, en Sulawesi. Se puede venir en automóvil y bote o bien en avioneta.

El centro dispone de un largo arrecife intacto en el que se puede bucear por cuenta propia en cualquier momento. Se puede llegar al borde de este arrecife de franja por una larga pasarela. También se puede bucear 100 metros a través de un heterogéneo jardín de coral, fascinante también para aquellos que se decidan por el esnórquel. Frente al centro hay muchos puntos de inmersión aglomerados por lo que resulta difícil delimitarlos. El lugar de inmersión estrella se llama Shark Point y está a 10 minutos en bote. Con la corriente pueden verse diferentes depredadores grandes en un encantador arrecife.

El archipiélago de Tukang Besi está a unos 400 kilómetros de distancia, al sudeste de Sulawesi. El mundialmente conocido Wakatobi Dive Resort

Sulawesi Meridional ●

51 FICHA

- ❖ **Profundidad:** 2-50 m

- ❖ **Visibilidad:** 15-40 m

- ❖ **Temperatura del agua:** 25-29 °C

- ❖ **Mejor época del año:**
  abril-junio y septiembre-noviembre
  Selayar: cerrado mayo-octubre

- ❖ **Dificultad:** ■–■■■■■

- ❖ **Diversidad de corales:** ■■■■■

- ❖ **Diversidad de peces:** ■■■■■

- ❖ **Peces grandes:** ■■■■

- ❖ **Pecios:** ■

- ❖ **Cuevas:** ■■■■

- ❖ **Paredes:** ■■■■■

- ❖ **Buceo con esnórquel:** ■■■■■

está situado en la pequeña isla de Onemobaa, frente a Tomia. El centro tiene como objetivo proteger el medio ambiente e involucrar a la población local. Está a dos horas y media de vuelo desde Bali y dispone de aeródromo propio. Gracias a los esfuerzos de la dirección del centro, toda la región fue declarada área marina protegida y empezó a gestionarse de forma sostenible. De este modo, Wakatobi ofrece una increíble biodiversidad en un ecosistema intacto y, con ello, experiencias de buceo inolvidables.

Los lugares de inmersión y los arrecifes casi vírgenes del entorno son de máxima calidad. El arrecife local seduce con su increíble variedad de corales y peces y ha sido elegido varias veces como uno de los mejores del mundo. Muy cerca del confortable centro de buceo hay otros 43 fantásticos puntos de inmersión: Roma, Magnifica, Teluk, Maya, Blade, Fan 38 o Pinki's Wall tienen maravillosos corales y son especialmente recomendables. Para excursiones largas hay disponible un lujoso *liveaboard*.

Página contigua: Maravillosas paredes con impresionantes gorgonias

Arriba: La famosa «ventana» en el arrecife de Wakatobi

Abajo: Gran pez sapo al acecho

Sulawesi Septentrional

LOS MEJORES PUNTOS DE INMERSIÓN DEL NORTE DE SULAWESI ESTÁN SITUADOS EN TORNO A LA CIUDAD DE MANADO, EN EL PARQUE NACIONAL DE BUNAKEN Y EN EL ARCHIPIÉLAGO DE BANGKA. EL ESTRECHO DE LEMBEH SE HIZO FAMOSO POR LA PRÁCTICA DEL *MUCKDIVING*.

L a capital de la provincia de Sulawesi Septentrional es Manado. Al norte y al sur hay atractivos centros de buceo y casi todos ofrecen interesantes arrecifes locales. Los pequeños animales del lugar fascinan especialmente a los buceadores.

En la bahía de Manado están las islas de Nain, Montehage, Manado Tua, Siladen y Bunaken, todas incluidas en el Parque Nacional de Bunaken. Éste fue fundado en 1989 y el 97 por ciento de su extensión es agua. Además de las zonas para pescadores y buceadores, también hay áreas reservadas para la recuperación de la flora y la fauna. Con las tasas de entrada se financian el mantenimiento y los controles, y se asegura la subsistencia de los

habitantes, ya que sólo pueden pescar limitadamente. En torno a Bunaken hay una docena de lugares de inmersión y numerosas paredes hermosamente adornadas en los que se puede bucear a la deriva.

El territorio de Siladen y el volcán dormido Manado Tua presenta abruptas pendientes. Éste último es conocido por la abundancia de cardúmenes. Montehage está en una extensa zona de aguas poco profundas. La isla de Nain sólo se ofrece a los expertos debido a algunos accidentes ocurridos a grandes profundidades.

Todas las bases de la región septentrional tienen viajes al vértice norte de Sulawesi. En torno a las islas de Bangka y Gangga, en las que también hay conocidos centros de buceo, se sitúan las islas de Talisei,

Sulawesi Septentrional ●

- ❖ **Profundidad:** 1-40 m
- ❖ **Visibilidad:** 15-45 m; Lembeh: 8-25 m
- ❖ **Temperatura del agua:** 26-30 °C; Lembeh: 22-29 °C
- ❖ **Mejor época del año:**
  Manado y Bunaken: marzo-noviembre;
  Bangka: marzo-junio; Lembeh: agosto-octubre
- ❖ **Dificultad:** ■–■■■■■
- ❖ **Diversidad de corales:** ■■■■■
- ❖ **Diversidad de peces:** ■■■■■
- ❖ **Peces grandes:** ■■■
- ❖ **Pecios:** ■■■
- ❖ **Cuevas:** ■■■
- ❖ **Paredes:** ■■■■■
- ❖ **Buceo con esnórquel:** ■■■■■

Kinabohutan, Tindila y Tamperong, donde aún hay pequeños pueblos pesqueros. Los peces son atraídos a estas aguas sobre todo por las fuertes corrientes tan habituales. Impresionan los policromáticos jardines de coral blando y las abundantes especies de babosas.

El estrecho de Lembeh está entre la ciudad de Bitung y la isla de Lembeh, paralela a la costa. Este paraíso es conocido por el *muckdiving* (buceo en fango), que también se ofrece en la zona de Manado. Cada vez más buceadores de todo el mundo se acercan aquí para buscar pequeños animales ocultos en la arena oscura: grotescas y exóticas criaturas tan bien camufladas que no resulta fácil verlas a primera vista. También hay jardines de coral pero se ven pocos peces grandes.

Página contigua: Pez león cebra, especie venenosa de la familia de los escorpénidos

Arriba: Grotescos peces pipa fantasma

Abajo: Cangrejo de coral bien camuflado

Islas Sangihe

LAS ISLAS SANGIHE ESTÁN FORMADAS POR UNAS 50 ISLAS VOLCÁNICAS TROPICALES QUE EMERGEN DE LAS PROFUNDIDADES ENTRE SULAWESI SEPTENTRIONAL Y FILIPINAS. BAJO EL AGUA HAY MARAVILLOSOS CORALES DUROS, ESPONJAS GIGANTES Y UN VOLCÁN ACTIVO.

Islas Sangihe ●

Arriba: Del volcán submarino ascienden burbujas ininterrumpidamente

Abajo izquierda: Espécimen de *Pseudanthias pleurotaenia*

Abajo derecha: Coloridas esponjas

El paisaje sobre el agua es impresionante: pequeñas islas con selvas tropicales de exuberante vegetación y algunos volcanes activos. Las islas Sangihe están dentro del Cinturón de Fuego del Pacífico y sólo se puede bucear en sus aguas en cruceros organizados.

El pionero del buceo indonesio, el Dr. Han Batuna, fue el primero en explorar la región en 1992. Descubrió el volcán submarino situado junto a la isla de Mahangetan, que se eleva desde los 800 metros de profundidad hasta casi la superficie. El lugar es fácil de localizar por las ascendentes burbujas de aire con olor a azufre. El escenario submarino es fantasmagórico y se asemeja a un paisaje lunar. Los rayos de sol se abren paso difícilmente a través del agua turbia de tono amarillento; la arena de color marrón oscuro junto a las millones de burbujas ascendentes permanece caliente.

La vida vuelve a florecer lejos de allí: enormes esponjas, gorgonias negras y los primeros peces. En otros lugares del archipiélago crecen enormes corales duros, y coloridos corales blandos en paredes y declives. Muchas zonas son aún desconocidas y esperan la llegada de sus descubridores.

53 FICHA

- ❖ **Profundidad:** 5-40 m
- ❖ **Visibilidad:** 10-35 m
- ❖ **Temperatura del agua:** 26-30 °C
- ❖ **Mejor época del año:** marzo-junio
- ❖ **Dificultad:** ■■■
- ❖ **Diversidad de corales:** ■■■■
- ❖ **Diversidad de peces:** ■■■■
- ❖ **Peces grandes:** ■■■
- ❖ **Pecios:** ■■
- ❖ **Cuevas:** ■■■
- ❖ **Paredes:** ■■■
- ❖ **Buceo con esnórquel:** ■■■■

Sipadan

LA PEQUEÑA ISLA SITUADA AL ESTE DE BORNEO ES EL DESTINO DE BUCEO MÁS POPULAR DE MALASIA Y UNO DE LOS MEJORES DEL MUNDO. FUE DECLARADA ÁREA PROTEGIDA EN 2004 POR SUS TORTUGAS Y LA EXTRAORDINARIA BIODIVERSIDAD DE SUS AGUAS.

● Sipadan

Hasta finales de 2004 hubo varios centros de buceo en la isla pero los ecologistas protestaron insistentemente y con razón por la excesiva presencia de buceadores. Aunque en grupos limitados, aún hoy puede bucearse en estas aguas de paredes maravillosamente decoradas y sometidas a abundantes corrientes. Hay que alojarse en las islas vecinas de Mabul o Kapala, reconocidas por su excelente fauna pequeña.

Sipadan se eleva verticalmente desde los 800 metros de profundidad en forma de enorme seta, cuyo sombrero constituiría la isla y las alas de éste el arrecife circundante.

Hay una docena de puntos de inmersión con una impresionante lista de atractivos: enormes bancos de barracudas deambulando de aquí a allá, caballas e imponentes loros cototos verdes, cientos de tortugas, tiburones de puntas blancas en el fondo y tiburones grises rodeando la isla. Éstas son las marcas de identidad que han dado fama mundial a Sipadan en los círculos de buceadores.

Arriba izquierda: Tortuga sumergiéndose

Arriba derecha: Banco de caballas a contraluz

Abajo: Comátulas en el mar de Sulú

54 FICHA

❖ **Profundidad:** 5-40 m

❖ **Visibilidad:** 10-35 m

❖ **Temperatura del agua:** 27-30 °C

❖ **Mejor época del año:** marzo-oct.

❖ **Dificultad:** ■■■–■■■■■

❖ **Diversidad de corales:** ■■■■

❖ **Diversidad de peces:** ■■■■■

❖ **Peces grandes:** ■■■■

❖ **Pecios:** –

❖ **Cuevas:** ■■■

❖ **Paredes:** ■■■■■

❖ **Buceo con esnórquel:** ■

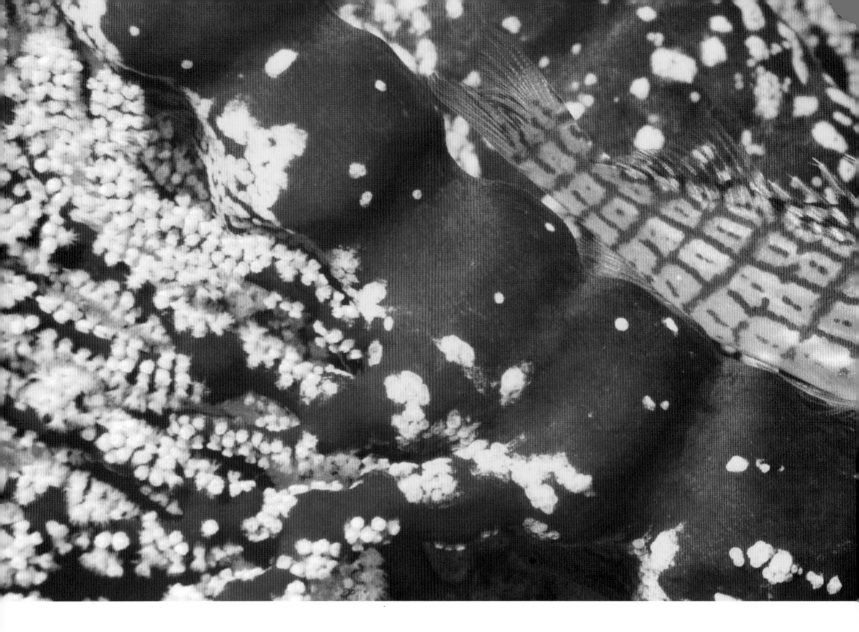

Arrecifes de Tubbataha

EL MAYOR ARRECIFE DE CORAL DE FILIPINAS ESTÁ FORMADO POR DOS ATOLONES CON UN
TOTAL DE 70 KILÓMETROS DE PAREDES SUBMARINAS. SE ENCUENTRA EN EL TRIÁNGULO DE
CORAL Y FUE DECLARADO PATRIMONIO DE LA HUMANIDAD POR LA UNESCO.

El archipiélago filipino consta de 7.107 islas y tiene una verdadera joya para el buceo: los arrecifes del casi cerrado mar de Sulú. La isla septentrional de Tubbataha está a 182 kilómetros al sudeste de Puerto Princesa, la capital de la provincia de Palawan y puerto de salida de los cruceros con destino a los arrecifes. Debido al mal tiempo durante el resto del año, éstos sólo zarpan entre marzo y junio, cuando el mar de Sulú está relativamente tranquilo.

Los dos atolones se convirtieron en el Tubbataha Reef National Park en 1988 y fueron declarados Patrimonio de la Humanidad por la Unesco en 1993. La pesca comercial está prohibida y las actividades submarinas de los *liveaboards* son controladas por una estación de vigilancia. El sistema arrecifal forma la punta superior del llamado Triángulo de Coral, el territorio con la mayor diversidad de corales del mundo. Éste llega hasta Borneo al oeste y hasta Nueva Guinea al este.

Los atolones septentrional y meridional están separados por un canal de siete kilómetros de ancho. Tubbataha significa «arrecife largo que emerge con la marea baja» y, efectivamente, muchos bancos de arena y arrecifes no son visibles con la marea alta. Las aguas están plagadas de peces, y cantidades infinitas de corales y esponjas velan por una fascinante gama de colores. Todo esto a pesar de que el entorno resultó muy dañado a principios de la década de 1990 por el empleo de métodos de pesca ilegales con dinamita,

Arrecifes de Tubbataha ●

cianuro y redes de arrastre. Los arrecifes de pendientes suaves convertidos parcialmente en escombros de coral están ahora en fase de recuperación. Las enormes paredes de aguas más profundas no sufrieron daños.

Los rincones de los arrecifes, con sus salientes, gargantas, grutas y cuevas, garantizan experiencias intensas. Aquí pueden hallarse varios tipos de tiburón, rayas guitarra, barracudas, caballas, atunes, tortugas y, en ocasiones, con mantas y delfines. A esto hay que añadir innumerables peces de arrecife más pequeños en medio de un majestuoso paisaje de corales.

Los atolones sólo son indicados para buceadores expertos, no sólo por su aislamiento sino también por las repentinas corrientes y las profundas paredes, que exigen un perfecto control de la posición.

Arriba: Una «casa» perfecta para el pez halcón de hocico alargado

Izquierda: En las paredes del arrecife de Tubbataha crecen enormes abanicos de mar

....

55 FICHA

❖ **Profundidad:** 2-60 m

❖ **Visibilidad:** 15-45 m

❖ **Temperatura del agua:** 26-29 °C

❖ **Mejor época del año:** marzo-junio

❖ **Dificultad:** ■■■–■■■■■

❖ **Diversidad de corales:** ■■■■

❖ **Diversidad de peces:** ■■■■

❖ **Peces grandes:** ■■■■

❖ **Pecios:** ■

❖ **Cuevas:** ■■■■

❖ **Paredes:** ■■■■■

❖ **Buceo con esnórquel:** ■■■

....

Dauin

EL PEQUEÑO MUNICIPIO SITUADO EN LA ISLA NEGROS ADQUIERE CADA VEZ MAS POPULARIDAD
GRACIAS A LA INAUGURACIÓN DE DIVERSOS PARQUES MARINOS. LOS BUCEADORES TAMBIÉN
PRACTICAN AQUÍ EL *MUCKDIVING*, LA BÚSQUEDA DE ARTISTAS ACUÁTICOS DEL CAMUFLAJE.

Dauin

Negros es la cuarta isla más grande de Filipinas y, al igual que las famosas regiones de buceo Cebu, Bohol, Leyte, Palawan, Panay y Samar, pertenece a las Bisayas, uno de los tres archipiélagos que forman el estado. Dauin se ubica en el sur de la isla, debajo de Dumaguete, la capital provincial.

Los centros de buceo disponen de un arrecife natural. Además, con el consentimiento oficial se instalaron arrecifes artificiales formados con automóviles, barcos, neumáticos o barriles. Aquí se puede bucear por cuenta propia y admirar la interesante fauna marina, que rápidamente ha convertido estos objetos en su morada.

En muchos lugares se puede practicar *muck-diving* y descubrir maestros del camuflaje como

rascacios, peces pipa fantasma o peces sapo, curiosos pulpos, caballitos de mar, anguilas, extrañas babosas y muchos otros extravagantes compañeros.

Los centros cerca de Dauin gozan de creciente popularidad (entre otras cosas, por la buena relación calidad-precio). Cada vez se erigen más complejos turísticos a lo largo del oscuro litoral arenoso. Esto se debe, no en último lugar, a la inauguración por parte de la administración local de parques marinos llamados *sanctuaries*. La pesca está prohibida en estas áreas, por lo que las costas, antes impopulares y con escasa ictiofauna, atraen hoy a peces de todo tipo y son un fructífero jardín de infancia submarino.

Los parques marinos Dauin Sanctuaries y Masaplod Sanctuaries están cerca y se llega rápida-

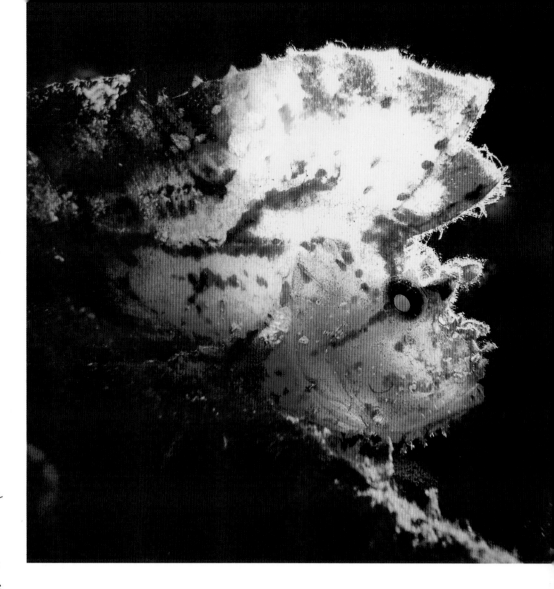

56 FICHA

- ❖ **Profundidad:** 1-30 m
- ❖ **Visibilidad:** 10-30 m
- ❖ **Temperatura del agua:** 26-31 °C
- ❖ **Mejor época del año:** noviembre-junio
- ❖ **Dificultad:** ■–■■■
- ❖ **Diversidad de corales:** ■■■–■■■■■
- ❖ **Diversidad de peces:** ■■■■
- ❖ **Peces grandes:** ■■
- ❖ **Pecios:** ■■
- ❖ **Cuevas:** –
- ❖ **Paredes:** – (isla de Siquior/Apo: ■■■■)
- ❖ **Buceo con esnórquel:** ■■■–■■■■

mente en bote. Rebosan de vida y son un estupendo estudio para fotógrafos submarinos. Rara vez se ven tantos habitantes marinos en una sola inmersión. Ducomi Pier, en Bacong, es impresionante: pueden contemplarse extraños peces y pequeños crustáceos entre los escombros del suelo y en los pilares del embarcadero, cubiertos de hermosos corales y esponjas.

Los amantes de los coloridos arrecifes de coral pueden hacer excursiones de un día a la isla de Siquior o al parque de *Apo Island*. En ambas islas hay centros de buceo y atractivos puntos de inmersión de fama internacional.

Debido a su posición central en el archipiélago, Dauin es punto de partida de los viajes de buceo «Island Hopping» de varios días a otras islas organizados por la asociación de bases de buceo Sea Explorers. A bordo de *bangkas*, las típicas canoas del lugar, se llega a los mejores lugares de otras regiones.

Una experiencia en la que todo está dispuesto sobre y bajo el agua; los equipos de buceo permanecen siempre a bordo y hay hoteles disponibles para las pernoctaciones y comidas.

Página contigua: Gambas de las anémonas entre las púas de un erizo de fuego

Arriba: Pez hoja escorpión casi transparente perfectamente puesto en escena

Abajo: El venenoso pez piedra suele enterrarse en la arena

Moalboal

LA ISLA DE CEBÚ ES UN VERDADERO REFERENTE ENTRE LOS SUBMARINISTAS DESDE HACE YA TIEMPO. EL CORAZÓN DEL BUCEO DEPORTIVO PALPITA EN MOALBOAL, UN MUNICIPIO DE LA COSTA OCCIDENTAL, Y SOBRE TODO EN TORNO A LA GRANDIOSA ISLA DE CORAL PESCADOR.

Moalboal ●

Página contigua: Paredes frondosas en torno a Pescador

Arriba: Pez erizo «aparcando» en una esponja barril

Abajo: Ranisapo de Commerson a la búsqueda de alimento

 FICHA

❖ **Profundidad:** 3-40 m

❖ **Visibilidad:** 10-30 m

❖ **Temperatura del agua:** 26-31 °C

❖ **Mejor época del año:** nov.-junio

❖ **Dificultad:** ■–■■■■■

❖ **Diversidad de corales:** ■■■■

❖ **Diversidad de peces:** ■■■■

❖ **Peces grandes:** ■■■

❖ **Pecios:** ■

❖ **Cuevas:** ■■

❖ **Paredes:** ■■■■■

❖ **Buceo con esnórquel:** ■■■■

Al este de la isla Negros se sitúa la isla de Cebú, también perteneciente al archipiélago de las Bisayas. En la capital insular homónima hay un aeropuerto internacional. El posterior viaje de 90 kilómetros hasta Moalboal dura unas tres horas. Panagsama Beach está en una península, algo apartada del centro del municipio. Dispone de bares, restaurantes y algunos centros de buceo pequeños de precios moderados. Los clientes, provenientes de todo el mundo, disponen de varias zonas de buceo: los arrecifes locales de los centros, diferentes puntos de inmersión en la larga pared de la península, el parque marino en torno a la cercana isla Pescador o Sunken Island, más al sur.

Los arrecifes locales son paredes revestidas que se precipitan hasta unos 40 metros de profundidad desde la cresta arrecifal. Se puede bucear aquí desde las bases bajo responsabilidad propia con un compañero. Para llegar a los 10 puntos de inmersión situados a lo largo de la península, se necesita un bote. En viajes cortos, las típicas *bangkas* se dirigen a lugares como Marine Sanctuary, situado al norte, White Beach, Talisay, Tongo Point, Sampaguita o Airport, donde yace un pequeño avión. En casi todos hay paredes frondosas con salientes de 40 metros de profundidad y pueden contemplarse peces pequeños y medianos. También hay modelos para la macrofotografía: babosas, gusanos, crustáceos y fotogénicos camarones. Estos puntos también son aptos para principiantes.

El destino más deseado del entorno es sin duda la isla Pescador, a 15 minutos en catamarán desde Moalboal en dirección oeste. La pequeña isla protegida se eleva desde 300 metros de profundidad hasta 6 metros sobre la superficie. Está enmarcada por un colorido cinturón de coral intacto, sumergido a una profundidad de entre 3 y 9 metros. Algo más al fondo hay escarpadas paredes en torno a la isla, cubiertas de esponjas, gorgonias y corales blandos. La Catedral es un lugar excelente: recibidos en el interior por hermosos juegos de luces producidos por el sol, los buceadores entran en este túnel a 35 metros de profundidad y vuelven a salir a 15. Numerosos y pequeños bancos de meros forman un caleidoscopio de maravillosos colores en torno a la isla.

Sunken Island está en aguas abiertas y es ideal para la práctica del «Early Morning Dive». Sin embargo,

los 24 metros de caída libre hasta el arrecife a través de aguas abiertas en medio de inquietos bancos de peces y numerosos peces león y peces sapo son indicados sólo para acuanautas con experiencia.

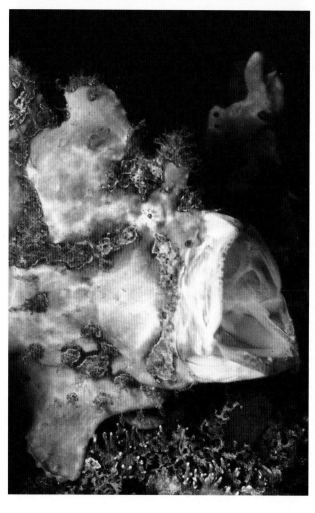

Cabilao

LA PEQUEÑA ISLA DEL ARCHIPIÉLAGO DE LAS BISAYAS ESTÁ SITUADA AL ESTE DE CEBÚ Y AL OESTE DE BOHOL. TODAVÍA HOY CAUSA SENSACIÓN ENTRE LOS BUCEADORES Y ES SINÓNIMO DE DESCANSO, BUCEO EN EXCELENTES ARRECIFES Y EXCEPCIONALES PUNTOS DE INMERSIÓN.

Cabilao

La isla está unos 40 kilómetros al norte de Alona Beach, el bastión del buceo de la isla de Panglao. En Cabilao se dejan atrás el ajetreo y las aglomeraciones de botes. Quien busque un bar aquí, lo hará en vano. Los centros conservan una atmósfera familiar y, junto al buceo, el descanso y la calma tienen prioridad absoluta.

Para llegar aquí, hay que ir en catamarán desde Cebú hasta Tagbilaran, en Bohol. Después hay que desplazarse en automóvil y hacer un pequeño trayecto en bote. Está en el popular triángulo de buceadores Cebú-Bohol-Negros y se incluye en la ruta de viajes de tipo «Island Hopping». La biodiversidad marina del entorno se conserva intacta

gracias a la práctica de la pesca tradicional y la existencia de un parque natural protegido. La visibilidad bajo las olas es casi siempre óptima. Todo esto ha hecho de Cabilao un verdadero paraíso para el buceo. Prueba de ello es que algunos hacen hasta cinco inmersiones diarias.

Lighthouse, al nordeste de la isla, es un lugar de inmersión de clase superior. Una pendiente desciende de los 5 a los 22 metros y, con ayuda de un guía familiarizado con el lugar, se llega a los puntos donde se ven peces piedra, peces rata, peces hoja escorpión, camarones mantis, peces pipa fantasma o incluso polillas de mar. Las inmersiones nocturnas son muy recomendables ya que permiten contemplar toda la belleza del arrecife.

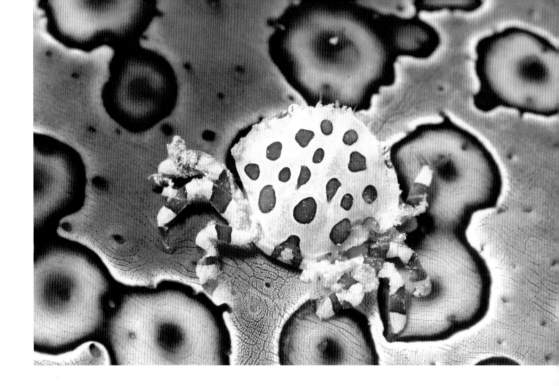

58 FICHA

❖ **Profundidad:** 3-60 m

❖ **Visibilidad:** 10-30 m

❖ **Temperatura del agua:** 26-31 °C

❖ **Mejor época del año:** nov.-junio

❖ **Dificultad:** ■-■■■■■

❖ **Diversidad de corales:** ■■■■

❖ **Diversidad de peces:** ■■■■

❖ **Peces grandes:** ■■■

❖ **Pecios:** –

❖ **Cuevas:** ■■

❖ **Paredes:** ■■■■■

❖ **Buceo con esnórquel:** ■■■■

En la pared del Shark View Point, no lejos de allí, hay gorgonias en las que viven diversos caballitos de mar pigmeos. Antes se veían grupos enteros de tiburones martillo frente a la pared pero actualmente sólo se avista con suerte algún ejemplar solitario.

South Point presenta un declive muy pronunciado. La pendiente de corales se extiende entre los 3 y los 12 metros de profundidad y tiene los corales duros más hermosos de la isla. Después, la pared se precipita verticalmente más de 40 metros en las profundidades. En este trecho hay cuevas donde durante el día se esconden los tiburones de puntas blancas más jóvenes. Por la tarde, la iluminación del arrecife es fantástica.

Cambaquiz está en el vértice nordeste de Cabilao y tiene fama por su rica ictiofauna. Hay pocos corales pero a veces aparecen tortugas y tiburones muy jóvenes. Fallen Tree es ideal para realizar inmersiones a la deriva. Por aquí deambulan fusileros entre enormes esponjas barril, corales cuero y gorgonias.

Página contigua: El bosque de coral de Cabilao

Arriba: Pequeño cangrejo en un cohombro

Centro: Cangrejo orangután en un coral burbuja

Abajo: El pez rata, maestro del camuflaje, yace escondido en la arena

Malapascua

TIBURONES, SERPIENTES Y BARCOS HUNDIDOS ATRAEN A BUCEADORES DE TODO EL MUNDO A MALAPASCUA, UNA PEQUEÑA ISLA DE CORAL UBICADA OCHO KILÓMETROS AL NORDESTE DE CEBÚ. LA BIODIVERSIDAD DE SU MICROMUNDO SUBMARINO TAMBIÉN RESULTA MUY ATRACTIVA.

M alapascua tiene sólo dos kilómetros de largo y casi un kilómetro de ancho. Aquí no hay automóviles, sólo un pequeño camión y algunos ciclomotores usados como taxi. En lugar de calles hay senderos en los que es fácil perderse, sobre todo de noche. En la isla habitan unas 4.000 personas distribuidas en nueve municipios. Viven principalmente de la pesca y cada vez más del turismo. A pesar de que se han ido creando pequeños centros turísticos a pie de playa y bases de buceo, la isla sigue siendo tranquila. Recuerda a las Maldivas por sus idílicas playas de palmeras.

Su principal atractivo son los elegantes peces zorro. Para avistarlos, hay que levantarse muy temprano. Ya al alba, los buceadores se desplazan durante media hora hasta la altiplanicie submarina Monad, que comienza a 12 metros de profundidad y tiene un diámetro aproximado de 1,5 kilómetros. En un punto concreto llamado Shark Point, a 23 metros de profundidad, estos predadores de hasta cuatro metros de largo se dejan limpiar por peces más pequeños. Eso sí, para llegar a contemplar los tímidos animales, se requiere tranquilidad y paciencia.

Los buceadores disponen de muchos pecios en los alrededores de la isla. El *Dona Marilyn*, un carguero de 90 metros de eslora, se hundió en 1982 durante un tifón y yace sobre su costado de estribor a 32 metros de profundidad en el norte de Malapascua. Hay también un barco de transporte japonés que fue alcanzado

Malapascua

59 FICHA

❖ **Profundidad:** 5-40 m

❖ **Visibilidad:** 10-30 m

❖ **Temperatura del agua:** 26-31 °C

❖ **Mejor época del año:** nov.-junio

❖ **Dificultad:** ■-■■■■■

❖ **Diversidad de corales:** ■■■

❖ **Diversidad de peces:** ■■■■

❖ **Peces grandes:** ■■■■

❖ **Pecios:** ■■■■

❖ **Cuevas:** ■■■

❖ **Paredes:** ■■■

❖ **Buceo con esnórquel:** ■■

en 1944 por los aviones estadounidenses y se hundió. El arrecife artificial es un oasis marino y está atestado de peces. El colorido pecio es fácil de explorar y yace entre los 18 y los 27 metros de profundidad. No lejos de allí, el *Don Macario* descansa a 19 metros de profundidad y también es ideal para principiantes. Hay tres barcos japoneses más hundidos a profundidades de entre 30 y 40 metros y sólo pueden ser visitados por buceadores con experiencia.

Los «tiburones dormidos de Gato», en *Gato Cave*, son uno de los principales atractivos que se conocieron de Malapascua. La cueva puede atravesarse y, durante el día, pueden contemplarse tiburones de puntas blancas durmiendo. Situados en el parque marino a unos 40 minutos en bote desde Malapascua, los puntos de inmersión de la isla Gato también ofrecen vistas de serpientes marinas de bandas negras y blancas, muchas babosas y fotogénicos caballitos de mar.

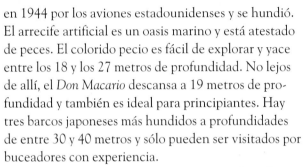

Página contigua: Serpiente marina de bandas negras y blancas

Arriba: Camarón limpiador aseando un pequeño mero

Centro: Caballito de mar entre corales blandos y un espinoso erizo de mar

Abajo: Tiburón durmiendo con una rémora en la cueva Gato

El océano más grande del planeta cubre más de un tercio de la superficie terrestre, por lo que la oferta para buceadores es muy amplia y heterogénea. Sus aguas albergan maravillosos destinos como las Galápagos, las islas Cocos, las innumerables islas de Micronesia, los paraísos del sur como Papúa Nueva Guinea o Polinesia y el mayor arrecife de barrera del mundo, situado al este de Australia.

OCÉANO PACÍFICO

Palaos

EL UNIVERSO SUMERGIDO DE PALAOS ES CONSIDERADO POR MUCHOS BUCEADORES COMO EL NON PLUS ULTRA DEL SUBMARINISMO, YA QUE SU OFERTA ES INCREÍBLEMENTE VARIADA: HAY PAREDES, PECES GRANDES, CUEVAS, PECIOS, LAGOS DE MEDUSAS E INCLUSO COCODRILOS.

● Palaos

Las islas de Palaos se sitúan en el Pacífico Occidental, al este de las Filipinas y al norte de Papúa Nueva Guinea. Constituyen un estado independiente y forman parte del archipiélago occidental de las Carolinas y de Micronesia. Palaos alcanzó oficialmente la independencia en 1994 tras casi 50 años bajo control estadounidense como territorio en fideicomiso de las Naciones Unidas. La sede del gobierno estuvo en Koror hasta 2006; actualmente se encuentra en la ciudad de Melekeok, situada en Babeldaob, la isla más grande.

La mayoría de las bases de buceo están ubicadas en Koror y ofrecen viajes a muchos puntos de inmersión en torno a las ocho islas principales y los innumerables islotes de coral cubiertos de flora tropical. Las excursiones diarias que se realizan a lo largo del idílico entorno tienen un atractivo especial ya que, para ir a los puntos de inmersión meridionales, hay que pasar por las famosas Rock Islands.

Existe también la opción de embarcarse en *liveaboards* para ir a los puntos de inmersión de Palaos. No suele fondearse lejos, por lo que es posible ser el primero en sumergirse al alba, lo que garantiza emocionantes inmersiones y posibilidades de ver peces grandes. Además, gracias al horario especial de a bordo, se puede saltar al agua hasta cinco veces al día.

Palaos cuenta con numerosos y fascinantes puntos de inmersión. Los más famosos y especiales son las cuevas Blue Hole y Blue Corner, así como las paredes de las islas Ngemelis y Peleliu (véanse los lugares de buceo n.º 61 y 62).

Las grutas y cuevas de Palaos son abundantes y heterogéneas. Además del Blue Hole, no hay que perderse el Siaes Tunnel, el Virgin Blue Hole o la Chandelier Cave, situada en un puerto natural de Koror. Para llegar a las enormes galerías, hay que introducirse por una entrada situada a cuatro metros de profundidad. Si no se remueve el fino sedimento del fondo, las aguas se mantienen cristalinas. Las largas

Página contigua: Imponente almeja gigante en Clam City

Abajo izquierda: Restos de máscaras de oxígeno en el pecio Helmet

Abajo derecha: Medusa en Jellyfish Lake, «el lago de las medusas»

60 FICHA

❖ **Profundidad:** 1-40 m

❖ **Visibilidad:** 7-30 m en pecios, hasta 45 m en cueva

❖ **Temperatura del agua:** 26-31 °C

❖ **Mejor época del año:** dic.–abril

❖ **Dificultad:** ■-■■■■■

❖ **Diversidad de corales:** ■■

❖ **Diversidad de peces:** ■■■■

❖ **Peces grandes:** ■■■■

❖ **Pecios:** ■■■■■

❖ **Cuevas:** ■■■■■

❖ **Paredes:** ■■■■■

❖ **Buceo con esnórquel:** ■■■■■
(lago de las Medusas, Mandarinfish Lake, Clam City, manglares)

estalactitas que cuelgan del techo de la cueva atraviesan la superficie del agua, creando un escenario fantástico. En la primera cavidad se puede incluso emerger; las otras cámaras deben visitarse con un guía familiarizado con el lugar.

Los pecios de la Segunda Guerra Mundial son otra de las propuestas estrella. A causa de su posición estratégica, los japoneses usaron el archipiélago como base naval durante la Guerra del Pacífico. A finales de marzo de 1944, EE.UU. inició un ataque aéreo que terminó con el hundimiento de más de 60 barcos y aviones en las bahías circundantes. Francis Toribiong, uno de los primeros submarinistas de Palaos, descubrió la flota perdida junto al buceador alemán Klaus Lindemann.

El pecio conocido como Helmet está hoy a una profundidad de entre 10 y 28 metros. Además de granadas, munición y piezas de repuesto para aviones de combate Zero, el buque de aprovisionamiento transportaba muchos cascos que aún pueden verse y que dieron al pecio su nombre. El carguero *Chuyo Maru* tiene 83 metros de eslora; el puente, la sala de máquinas y el cañón de a bordo están bien conservados y merecen una visita. Con 153 metros de eslora, el *Amatsu Maru* es el pecio más grande de Palaos.

Se encuentra a una profundidad máxima de 37 metros y está poblado de corales negros. Los pecios del *Iro* y los aviones *Jake* y *Zero Fighter* ofrecen también interesantes inmersiones.

Otro punto de interés se encuentra en la isla Eil Malk, perteneciente a las famosas Rock Islands, protegidas por su patrimonio natural. Aquí hay un lago plagado de medusas conocido mundialmente como Jellyfish Lake, «el lago de las medusas». En éste se puede hacer esnórquel en medio de millones de medusas no urticantes que viven aquí desde hace cientos de años. En la orilla crecen mangles en cuyas raíces se han establecido esponjas y anémonas. En Clam City, a pocos minutos en bote, viven almejas gigantes que miden casi dos metros, pesan hasta 500 kilos y tienen hasta 100 años.

Al sur, no lejos de Koror, se encuentra uno de los muchos lagos de agua salada de Rock Islands, el Mandarinfish Lake. Aquí viven diminutos y fotogénicos peces mandarín de hermosos colores. Se organizan incluso inmersiones con cocodrilos para los buceadores más osados en los pantanos de manglares situados frente a Koror, una aventura no precisamente barata pero emocionante.

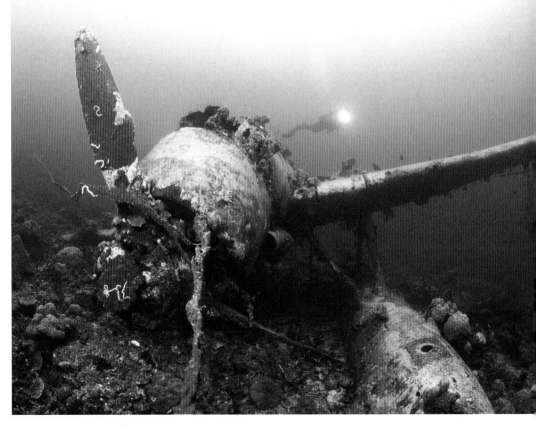

Blue Corner y Blue Holes

EN EL SUDOESTE DE PALAOS HAY DOS PUNTOS DE INMERSIÓN DOMINADOS POR EL AZUL QUE SON VERDADEROS LUGARES DE PEREGRINACIÓN PARA LOS BUCEADORES Y CONTRIBUYEN A QUE EL ARCHIPIÉLAGO ENCABECE LAS LISTAS DE LAS MEJORES REGIONES DE BUCEO.

Blue Corner y Blue Holes

Arriba: Tiburón gris

Abajo: Blue Holes, una sensacional atracción de Palaos

Los Blue Holes prometen excelentes inmersiones. Por la continua erosión de cientos de años se formaron cuatro agujeros en la cresta arrecifal a través de los que se llega a una gigantesca galería si uno se sumerge verticalmente con el mar en calma. Por chimeneas de unos 20 metros de largo penetra una mística luz azul en la cueva, cuyo fondo está a una profundidad máxima de 40 metros. Una pequeña salida a 15 metros y otra más grande a partir de los 27 llevan cómodamente a aguas abiertas. Una vez en el interior de la cueva, los buceadores expertos pueden penetrar más hasta la Cave of Doom. Algunos esqueletos de tortugas demuestran que incluso estos animales se pierden por aquí.

Blue Corner fue descubierto por Francis Toribiong, el conocido buceador pionero de Palaos. Viniendo de los Blue Holes, llegó aquí casualmente en 1978 dejándose llevar por la intensa corriente. De repente se vio frente a una altiplanicie en medio de un ejército de curiosos tiburones, pargos, caballas y barracudas. La población de tiburones presenta un leve descenso pero el «rincón azul» todavía es hoy un imán para buceadores.

Con la marea alta, la intensa y nutritiva corriente de este rincón del arrecife ofrece abundante alimento a peces grandes y pequeños. Siempre se ven enormes peces Napoleón, meros, rayas, adormecidos tiburones de puntas blancas y tortugas. A veces también pasan delfines por el arrecife.

61 FICHA

- ❖ **Profundidad:** 3-40 m
- ❖ **Visibilidad:** 15-50 m
- ❖ **Temperatura del agua:** 27-31 °C
- ❖ **Mejor época del año:** dic.-abril
- ❖ **Dificultad:** ■■■–■■■■■
- ❖ **Diversidad de corales:** ■■■
- ❖ **Diversidad de peces:** ■■■■
- ❖ **Peces grandes:** ■■■■■
- ❖ **Pecios:** –
- ❖ **Cuevas:** ■■■■■
- ❖ **Paredes:** ■■■■■
- ❖ **Buceo con esnórquel:** ■■■

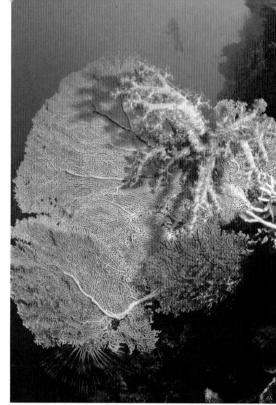

Ngemelis y Peleliu

SI LAS PAREDES SON SIEMPRE FASCINANTES PARA LOS BUCEADORES, LAS DE LAS ISLAS MERIDIONALES DE PALAOS CORTAN DIRECTAMENTE LA RESPIRACIÓN. EN ELLAS CRECEN TODO TIPO DE CORALES Y SE PRODUCEN EXTRAORDINARIOS ENCUENTROS.

● Ngemelis y Peleliu

A l sudoeste de la deshabitada isla de Ngemelis, la pared Big Drop Off desciende hasta los 280 metros de profundidad. Aquí es imprescindible controlar perfectamente la posición, mantener un contacto constante con la pared y comprobar continuamente el ordenador. Junto a la pared pululan miles de peces tropicales y, con suerte, se contemplan incluso nautilos, un cefalópodo primitivo que vive en aguas profundas y asciende a veces junto a estos jardines de coral verticales.

New Drop Off, más al oeste, también presenta pendientes muy pronunciadas. Aquí puede haber corrientes muy fuertes, por lo que se debería llevar obligatoriamente un gancho de arrecife. Éste va unido con un cabo al chaleco compensador. Para contemplar en calma los vigilantes tiburones y otros depredadores desde un lugar, hay que fijarlo en la roca procurando no causar daños. La pared está hermosamente decorada con corales blandos, abanicos y látigos de mar. Al sur de la isla hay otras paredes como Turtle Wall, Ngemelis Coral Garden o Ngemelis Wall.

La isla Peleliu también ofrece inmersiones perfectas. Las atracciones estrella son Yellow Wall, revestida de corales blandos amarillos, los puntos de inmersión Peleliu Cut y Wall, donde habitan gorgonias gigantes, y Peleliu Express, poblado de bancos de pargos y roncos.

Arriba izquierda: Látigos de mar en New Drop Off

Arriba derecha: Corales blandos en Big Drop Off

Abajo: Nautilo, una criatura de tiempos primitivos

....

62 FICHA

❖ **Profundidad:** 2-40 m

❖ **Visibilidad:** 20-40 m

❖ **Temperatura del agua:** 26-31 °C

❖ **Mejor época del año:** dic.-abril

❖ **Dificultad:** ■-■■■■■

❖ **Diversidad de corales:** ■■■■■

❖ **Diversidad de peces:** ■■■■

❖ **Peces grandes:** ■■■■

❖ **Pecios:** –

❖ **Cuevas:** ■■

❖ **Paredes:** ■■■■■

❖ **Buceo con esnórquel:** ■■■■

....

Chuuk (laguna de Truk) I

EL ATOLÓN DE CHUUK ES CONSIDERADO EL MEJOR TERRITORIO DE PECIOS DEL MUNDO. MUCHOS DE ELLOS PRESENTAN CONDICIONES ÓPTIMAS PARA LA VISITA DE CUALQUIER BUCEADOR, PERO TAMBIÉN HAY OTROS QUE REQUIEREN UNA FORMACIÓN ESPECIAL.

● Chuuk

Página contigua: Corales blandos en los pescantes del *Fujikawa Maru*

Arriba: Pecio del avión *Betty Bomber*

Centro: Telégrafo cubierto de esponjas

Abajo: Tiburón gris recibiendo servicios de limpieza

63 FICHA

- ❖ **Profundidad:** 9-40 m
- ❖ **Visibilidad:** 10-40 m
- ❖ **Temperatura del agua:** 28-30 °C
- ❖ **Mejor época del año:** dic.-abril
- ❖ **Dificultad:** ■-■■■
- ❖ **Diversidad de corales:** ■■■■
- ❖ **Diversidad de peces:** ■■■
- ❖ **Peces grandes:** ■■■-■■■■
- ❖ **Pecios:** ■■■■■
- ❖ **Cuevas:** –
- ❖ **Paredes:** –
- ❖ **Buceo con esnórquel:** ■

L as islas volcánicas de Chuuk, también conocidas por su nombre antiguo de Truk, forman parte de las islas Carolinas Orientales y constituyen uno de los estados de los Estados Federados de Micronesia. Diez islas mayores y 46 menores vestidas de verde esmeralda están rodeadas por un arrecife de barrera de 224 kilómetros de largo formado en el borde de un cráter hundido. Aquí no hay playas importantes ni hoteles confortables. Sólo hay buceadores que se acercan de vez en cuando para ver los numerosos pecios de la Segunda Guerra Mundial. Actualmente hay dos hoteles con bases de buceo que ofrecen excursiones diarias con dos o tres inmersiones.

Dada su posición aislada en medio del Pacífico, el archipiélago tuvo mucha relevancia estratégica. Al ofrecer protección, los japoneses lo usaron como base militar y situaron aquí gran parte de su flota del Pacífico. En febrero de 1944, los americanos atacaron por sorpresa este enclave supuestamente seguro en el marco de la «Operation Hailstone», y hundieron cruceros, destructores, submarinos y buques de carga. Se estima que se destruyeron unos 400 aviones y casi 80 barcos.

Sobre esta flota fantasma crecen hoy maravillosos jardines de coral. Esponjas y otros animales sencillos pueblan los gigantes de acero. También los peces hallaron aquí un nuevo hogar, por ejemplo, en el *Fujikawa Maru*, un pecio de película lleno de corales blandos situado al sudoeste de la isla de Eten. El buque de carga de 132 metros de eslora reposa derecho a entre 12 y 34 metros de profundidad. En las bodegas hay cabinas de aviones, alas, torpedos, porcelana y botellas. La sala de máquinas, los cañones y la superestructura son impresionantes.

El pecio del *Shinkoku Maru* es otro fantástico punto de inmersión. Tiene 152 metros de eslora y está al norte de la isla de Param. Sus mástiles comienzan ya a nueve metros de profundidad; el puente de mando está a 15 metros y los cañones de a bordo a unos 31. Hay pecios que no entrañan ninguna dificultad como el *Sankisan Maru*, el *Hanakwa Maru*, el *Gossei Maru* o el *Yamagiri Maru*. También merece la pena visitar el avión *Betty Bomber*, al oeste de Eten.

En torno a algunos pecios circulan tiburones pero el que desee ver más, no debe perderse Shark Island, donde puede contemplarse de cerca más de una docena de tiburones grises.

Chuuk (laguna de Truk) II

LOS BUCEADORES CON EXPERIENCIA Y FORMACIÓN ESPECIAL PUEDEN DESCENDER HASTA LOS PECIOS SITUADOS A GRANDES PROFUNDIDADES EN LA LAGUNA DE TRUK. LA MAYORÍA SE ENCUENTRAN EN TORNO A LAS ISLAS DE WENO, FEFAN, UMAN Y TONOWAS.

● Chuuk

En el año 1964, 20 años tras el hundimiento de la flota japonesa del Pacífico, Kimio Aisek, el testigo local de aquella época, descubrió los primeros pecios en la laguna de Truk, que representa la meca del buceo en pecios para la comunidad internacional de buceadores. Esto se debe por un lado a que, contrariamente a Pearl Harbor, las reliquias de guerra no se retiraron del mar, sino todo lo contrario: la laguna fue declarada «Underwater Historical Monument» (monumento histórico submarino). Para protegerla de los cazadores de *souvenirs*, las excursiones, que no son precisamente económicas, sólo están permitidas con guías. Por otro lado, las condiciones son ideales en comparación con otras zonas de pecios:

la protección de las corrientes que ofrece la laguna, el agua cálida y clara y la habitual poca profundidad permiten realizar agradables inmersiones.

Sin embargo, también hay pecios que requieren mucha experiencia. Un ejemplo es el *Nippo Maru*, que debía abastecer de agua potable a los otros barcos. Estaba fondeado al este de Tonowas cuando fue atacado y llevada una carga adicional a bordo: un tanque, camiones, artillería, ametralladoras y mucha munición en las bodegas. El pecio parece intacto, yace derecho en la arena y está revestido de color. Si uno se encuentra en la cubierta, el ordenador muestra una profundidad de 31 metros, por lo que el tiempo en el que puede emergerse sin paradas intermedias adicionales es muy breve.

El *San Francisco Maru*, de 128 metros de eslora, es uno de los pecios más profundos de la laguna. La cubierta principal del castillo de proa está a unos 40 metros y la quilla a 62. Su principal atractivo son los tres tanques de la cubierta pero también hay algunos camiones, abundantes restos de vajillas, minas, cargas de profundidad, torpedos y cajas de munición en diversas bodegas. Para bucear aquí, hay que seguir instrucciones detalladas a causa de la estrechez de los pasadizos y la munición, que posiblemente aún esté activa.

Aunque el *Rio de Janeiro Maru* está a una moderada profundidad de entre 14 y 37 metros, se necesita un guía experimentado para explorar el interior. El antiguo barco de pasajeros, reconvertido en buque de aprovisionamiento para submarinos, reposa hoy sobre su costado de estribor, por lo que es sumamente difícil orientarse. Otros sensacionales pecios para especialistas son el *Hoki Maru*, el *Heian Maru*, el *Unkai Maru* y el *Submarine I-169*.

Página contigua: Tanque en el *Nippo Maru*

Arriba: Sala de máquinas del *Rio de Janeiro*

Centro: Todavía hoy se encuentran calaveras en algunos pecios

Abajo: Camiones militares en la bodega del *Hoki Maru*

64 FICHA

- ❖ **Profundidad:** 15-62 m
- ❖ **Visibilidad:** 10-40 m
- ❖ **Temperatura del agua:** 28-30 °C
- ❖ **Mejor época del año:** dic.-abril
- ❖ **Dificultad:** ■■■–■■■■■
- ❖ **Diversidad de corales:** ■■■■
- ❖ **Diversidad de peces:** ■■■
- ❖ **Peces grandes:** ■■■
- ❖ **Pecios:** ■■■■■
- ❖ **Cuevas:** –
- ❖ **Paredes:** –
- ❖ **Buceo con esnórquel:** ■

PACÍFICO NORTE: ESTADOS FEDERADOS DE MICRONESIA

Yap

LA ISLA DE YAP ES CONOCIDA ENTRE LOS BUCEADORES SOBRE TODO POR LAS MANTAS QUE PUEBLAN SUS CANALES (VÉASE LUGAR DE BUCEO N.° 66). SIN EMBARGO, BAJO EL AGUA HAY MUCHÍSIMO MÁS QUE VER: PAREDES, GRUTAS, TIBURONES E INCLUSO PECES MANDARÍN.

● Yap

Las islas de Yap pertenecen al archipiélago de las Carolinas Occidentales y están al este de las Filipinas, apartadas de las rutas turísticas de Nueva Guinea. Los buceadores suelen visitarlas junto con Palaos, a sólo 450 kilómetros de distancia. Las cuatro islas principales se llaman Yap Proper y están rodeadas por un arrecife de coral. Junto con las lejanas islas exteriores, forman uno de los estados de los Estados Federados de Micronesia.

Sólo hay hoteles y bases de buceo en Colonia, la capital del estado situada en Yap. Una peculiaridad de la isla es que los propietarios de tierras también son dueños de las aguas situadas frente a su propiedad. Por eso, para las bases es difícil

recibir las autorizaciones necesarias para los numerosos puntos de inmersión de la isla. Los derechos no se adquieren fácilmente, sino tras lentas y formales negociaciones. Actualmente hay disponibles más de 30 puntos de inmersión en torno a esta isla de 25 kilómetros de largo y 8 de ancho.

Vertigo Wall es una verdadera sensación. Está al oeste de la isla y, cuando uno se sumerge, es recibido por numerosos tiburones grises y de puntas blancas. En una esquina del arrecife se encuentra Big Bend, donde los guías atraen con ruidos especiales a tiburones oceánicos, de puntas plateadas y de puntas blancas. Aquí crecen gorgonias y corales blandos bajo los salientes. En Cherry Blossom Wall abundan los corales negros. En la pared de Gilmaan Wall, al sur de la isla,

65 FICHA

❖ **Profundidad:** 2-50 m

❖ **Visibilidad:** : en los arrecifes 20-60 m, en la laguna 5-15 m

❖ **Temperatura del agua:** 28-30 °C

❖ **Mejor época del año:** diciembre-abril

❖ **Dificultad:** ■–■■■

❖ **Diversidad de corales:** ■■■–■■■■■

❖ **Diversidad de peces:** ■■■■

❖ **Peces grandes:** ■■■■■

❖ **Pecios:** ■■

❖ **Cuevas:** ■■■ (sólo en el sur)

❖ **Paredes:** ■■■■

❖ **Buceo con esnórquel:** ■■■

acechan unos peces sapo amarillos muy bien camuflados. En las grutas de Yap Caverns hay algunos peces hoja escorpión sedentarios y se producen fantásticos juegos de luces. En este laberinto arrecifal, las caballas cazan y los loros cototos verdes devoran los corales, lo cual se puede escuchar perfectamente.

Es interesante echar un vistazo a las aguas abiertas del este de la isla, ya que suelen verse peces grandes. No es de extrañar, ya que no está lejos la segunda fosa oceánica más grande del mundo, la fosa de Yap. Los arrecifes ganan suavemente profundidad al este y fascinan con jardines de coral duro totalmente intactos. Los mejores puntos de inmersión son Sakura Terrace y Gapow Reef, que sorprenden por su increíble visibilidad.

Cerca de Colonia hay dos pecios y un lugar ideal para la macrofotografía donde pueden verse babosas, ejemplos de simbiosis, apogónidos y peces sapo.

Junto a O'Keefe Island viven peces mandarín, que se contemplan mejor tras la puesta de sol.

Página contigua: Retrato de un tiburón gris

Arriba y centro: Peces mandarín de vivos colores

Abajo: Enfrentamiento entre peces loro

Canales de Yap

LA ISLA DE YAP ADQUIRIÓ FAMA MUNDIAL ENTRE LOS BUCEADORES POR LAS MAJESTUOSAS MANTARRAYAS QUE PUEBLAN SUS CANALES. LO MEJOR ES SUMERGIRSE CUANDO SUBE LA MAREA, YA QUE EL AGUA ES MÁS CLARA Y HAY MÁS VIDA.

Yap

De origen principalmente volcánico, Yap presenta colinas y bosques tropicales. La isla está rodeada por un cinturón de coral con canales que comunican el mar con las lagunas. Las costas están cubiertas por una jungla de mangles. Muchos habitantes viven según las antiguas costumbres, habitan en pueblos tradicionales y subsisten gracias a la pesca y la agricultura. Frente a las casas y los caminos se exponen las legendarias piedras rai. Los habitantes de Yap extrajeron las rocas de Palaos y las llevaron a la isla en canoas. Aún hoy conservan un gran valor no sólo proverbial.

En 1984, el buceador pionero Bill Acker descubrió mantas en los canales. Vienen aquí para que las limpien y para recoger el plancton del agua. Acker, conocido mundialmente como el «hombre manta», ha contemplado y estudiado estos apacibles gigantes en miles de inmersiones. Posee un centro de buceo en Yap y garantiza a sus clientes avistamientos de mantas durante todo el año. Además ofrece cursos de biología en los que enseña cómo hay que comportarse con los animales. Delante de su base se puede ver un cartel que muestra nombres e imágenes de más de 100 tipos de mantas. Éstas se pueden distinguir atendiendo a los diseños de su parte inferior, el color, el tamaño y la raíz de la cola.

Las mantas, que pueden alcanzar los cinco metros de envergadura, buscan lugares especiales donde haya peces pequeños dispuestos a limpiar los parásitos de su cuerpo. La presencia de mantas en los canales, donde también se ven tiburones y otros peces, depende de la estación y la hora del día. En invierno (de diciembre a abril), los animales se aparean. Para ello prefieren el Mi'l Channel, situado en la zona noroeste de la isla, que es más tranquila. En verano suelen surcar por la mañana las aguas del Goofnuw Channel, situado al nordeste. Lo mejor es sumergirse cuando hay luna llena y luna nueva, ya que la corriente es mayor. Con el flujo, el agua está clara; con el reflujo, la visibilidad se ve limitada.

Los puntos de inmersión más populares son los «Beauty Salons»: en el Mi'l Channel hay cinco y en el Goofnuw Channel tres. Los elegantes animales voladores vienen a estos «salones de belleza» para recibir servicios de limpieza. Tzimoulis Ridge, que debe su nombre al conocido buceador y fotógrafo submarino americano, es uno de los mejores lugares del mundo para ver mantas.

Página contigua: Manta deslizándose por las aguas de Trzimoulis Ridge

Abajo izquierda: Retrato de una manta a contraluz

Abajo derecha: Pared de coral blando en el Mi'l Channel

66 FICHA

❖ **Profundidad:** 10-28 m

❖ **Visibilidad:** 5-40 m

❖ **Temperatura del agua:** 28-30 °C

❖ **Mejor época del año:** dic.-abril

❖ **Dificultad:** ■-■■■

❖ **Diversidad de corales:** ■■■

❖ **Diversidad de peces:** ■■■

❖ **Peces grandes:** ■■■■■

❖ **Pecios:** ■■
  (sólo en el Main Channell)

❖ **Cuevas:** –

❖ **Paredes:** ■■■

❖ **Buceo con esnórquel:** ■■■

Islas Salomón

EL ARCHIPIÉLAGO DE LAS SALOMÓN ESTÁ FORMADO POR DOS CADENAS DE ISLAS
QUE DISCURREN PARALELAS A LO LARGO DE CASI 1.000 KILÓMETROS. BAJO EL AGUA HAY
INTERESANTES PAREDES, JARDINES DE CORAL Y PECIOS DE LA BATALLA DE GUADALCANAL.

Islas Salomón

Las islas Salomón se extienden de noroeste a sudeste formando el tercer archipiélago más grande del Pacífico sur. Las islas septentrionales pertenecen a Papúa Nueva Guinea, situada al oeste, y las meridionales forman el estado de las Islas Salomón. Junto a cientos de islotes, hay algunas islas volcánicas mayores que están habitadas. Las seis islas principales son Santa Isabel, San Cristóbal, Malaita, Nueva Georgia, Choiseul y Guadalcanal, donde está Honiara, la capital. Esta ciudad alberga la mayoría de las bases de buceo y es punto de salida de cruceros de una o dos semanas.

No hace mucho, las islas fueron noticia por disturbios políticos y un tsunami. En la década de 1940, se hicieron famosas por su papel en la Guerra del Pacífico. Los japoneses ocuparon las islas en 1942 y, poco después, los americanos lanzaron la primera ofensiva. La batalla de Guadalcanal terminó en febrero de 1943. Los pecios situados en torno a Honiara son de este período. Los buceadores sienten especial fascinación por un submarino japonés y los pecios de Bonegi, cubiertos de corales blandos. La región en torno a Munda, en la isla de Nueva Georgia, también estuvo muy disputada durante la guerra, por lo que es un lugar ideal para los amantes de los pecios. Además hay paredes, peces grandes y una interesante cueva.

Hay muchos puntos de inmersión excelentes pero no muy conocidos en torno a la isla de Uepi, que está al noroeste y alberga una base de buceo.

67 FICHA

- ❖ **Profundidad:** 5-40 m
- ❖ **Visibilidad:** 15-50 m
- ❖ **Temperatura del agua:** 24-29 °C
- ❖ **Mejor época del año:** julio-nov.
- ❖ **Dificultad:** ■–■■■■■
- ❖ **Diversidad de corales:** ■■■■
- ❖ **Diversidad de peces:** ■■■■
- ❖ **Peces grandes:** ■■■■
- ❖ **Pecios:** ■■■■■
- ❖ **Cuevas:** ■■■
- ❖ **Paredes:** ■■■■■
- ❖ **Buceo con esnórquel:** ■■■

Aquí impresionan los maravillosos jardines de coral, diversos tiburones y diminutas joyas biológicas.

Los arrecifes de las islas de Russell y Florida pueden visitarse en breves excursiones de buceo. También se ofrecen viajes largos a zonas menos exploradas de la Provincia Occidental situadas en torno a la isla de Gizo. Frente a ésta yacen los restos bien conservados del barco mercante japonés *Tao Maru* (entre 8 y 40 metros de profundidad). Todavía hoy alberga gran parte de su carga, desde botellas de sake hasta tanques. La larga laguna de Marovo, en el centro del archipiélago de Nueva Georgia, ofrece imponentes paredes, emocionantes pecios y peces oceánicos.

Una pared de vivos colores lleva el nombre del antiguo presidente de los EE.UU. John F. Kennedy, que pudo salvarse nadando hasta la pequeña isla cuando la lancha torpedera que comandaba durante la Segunda Guerra Mundial fue embestida por un destructor japonés.

Página contigua: Llamativo pez sapo de color rojo vivo

Arriba: Pulpo de anillos azules, pequeño y bonito pero muy venenoso

Abajo: Pequeño blénido observando desde su escondrijo

Papúa Nueva Guinea

EL ESTADO INSULAR SITUADO AL NORTE DE AUSTRALIA Y AL SUR DEL ECUADOR ES UN SUEÑO PARA MUCHOS BUCEADORES. EL MUNDO SUBMARINO ESPERA A LOS VISITANTES CON INSÓLITOS ARRECIFES, MUCHOS PECIOS Y UNA INMENSA DIVERSIDAD DE PECES Y CORALES.

Papúa Nueva Guinea ●

Página derecha: Mirada través de una gorgonia roja

Abajo: Rhinopias con un impresionante diseño

Nueva Guinea, la segunda isla más grande del mundo, está dividida políticamente en dos partes: la provincia indonesia de Papúa Occidental y el estado independiente de Papúa Nueva Guinea, situado al este y al que pertenecen las islas cercanas. El país forma parte de Melanesia y se incluye geográficamente en Oceanía. Está habitado por más de 700 grupos étnicos con fascinantes culturas y presenta grandes contrastes paisajísticos: en la isla principal hay altas montañas, glaciares, bosques tropicales, ríos, volcanes, manglares y sabanas.

La mayoría de los buceadores que vienen a Papúa Nueva Guinea a pesar del difícil viaje, lo hacen atraídos por su célebre biodiversidad submarina, que convierte este territorio en una de las zonas de buceo más hermosas del mundo.

Otro de los atractivos son los cientos de pecios de la Segunda Guerra Mundial situados frente a las costas del país. Port Moresby, la capital, fue cuartel general de los americanos. Tras la ocupación del norte de Nueva Guinea por los japoneses, se sucedieron tres años de duras batallas entre Japón y los aliados. Los mejores pecios de barcos, aviones y submarinos de este período están cerca de las ciudades de Rabaul, Kavieng, Madang, Tufi y Port Moresby.

En estas zonas se han establecido algunos complejos de buceo reconocidos con premios internacionales. Muchos de los puntos de inmersión a los que se llega desde ellos tienen fama mundial. Los centros de buceo de la bahía de Kimbe, en la isla de Nueva Bretaña (mar de Bismarck), gozan de gran popularidad. Parece que aquí han llegado a contarse hasta 800 tipos de corales y 460 especies de peces.

Más al norte, hay pequeños islotes de coral con grandiosas paredes, bancos de peces y tiburones entre las islas de Nueva Irlanda y Nueva Hanover, donde el mar de Bismarck se encuentra con el océano Pacífico. La bahía de Milne, situada al este de la isla principal entre el mar del Coral y el mar de Salomón, ofrece insólitas inmersiones donde se ven extrañas criaturas. Su seña de identidad es el rascacio conocido como «rhinopias». La región de Tufi, al este de Port Moresby, se caracteriza por sus altos macizos y profundos fiordos, y ofrece también un micromundo submarino muy interesante.

Todos los lugares conocidos son también destino de lujosos *liveaboards*, en los que deben programarse viajes de al menos 10 días.

68 FICHA

❖ **Profundidad:** 5-40 m

❖ **Visibilidad:** 10-50 m

❖ **Temperatura del agua:**
mar del Coral: 23-29 °C,
mar de Bismarck: 29-30 °C

❖ **Mejor época del año:**
bahía de Kimbe y Kavieng: abril-dic.
Tufi: mayo y noviembre-enero
bahía de Milne: abril-mayo y oct.-enero

❖ **Dificultad:** ■-■■■■■

❖ **Diversidad de corales:** ■■■■■

❖ **Diversidad de peces:** ■■■■■

❖ **Peces grandes:** ■■■■■

❖ **Pecios:** ■■■■■

❖ **Cuevas:** ■■■

❖ **Paredes:** ■■■■■

❖ **Buceo con esnórquel:** ■■■■■

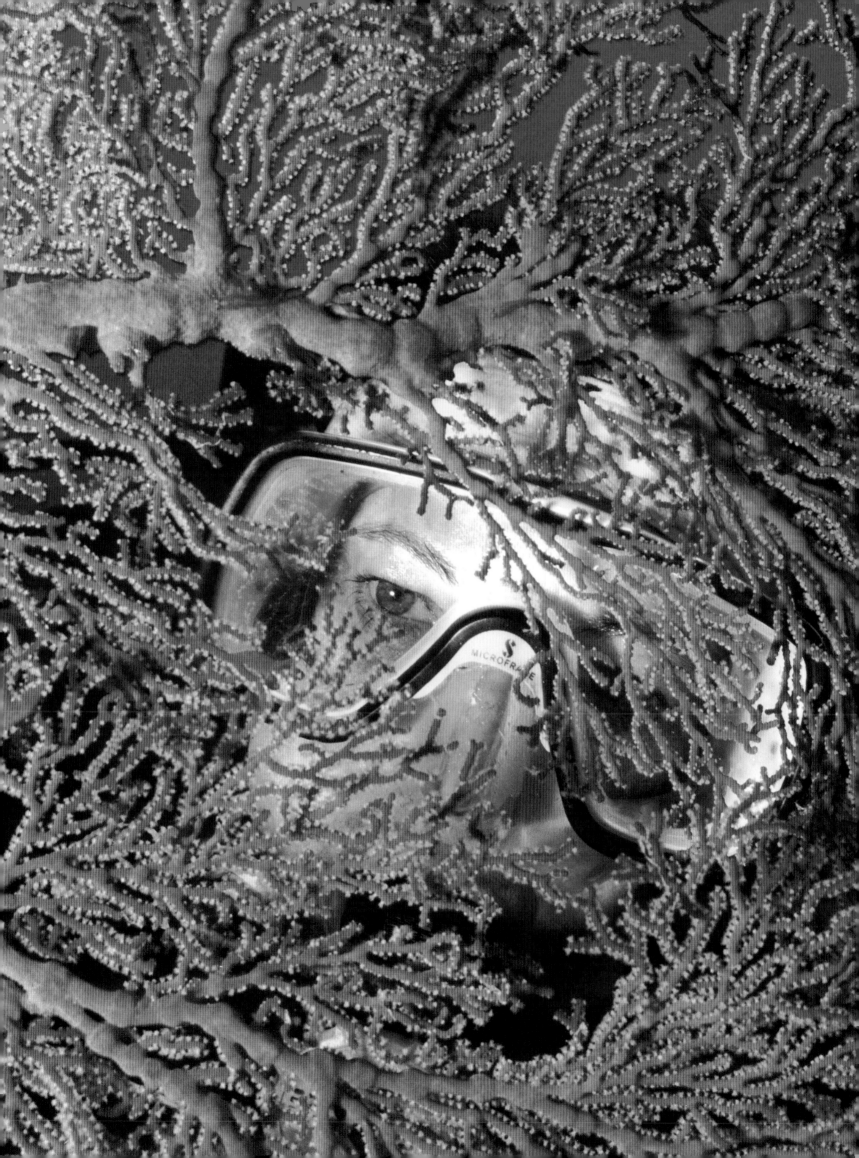

Moorea

EL ATOLÓN DEL PACÍFICO SUR PERTENECE A LAS ISLAS DE LA SOCIEDAD DE LA POLINESIA FRANCESA. EN ESTE IDILIO DE LOS MARES DEL SUR PUEDEN EFECTUARSE MAGNÍFICAS INMERSIONES CON TIBURONES, AMIGABLES RAYAS O TAMBIÉN ENORMES BALLENAS JOROBADAS.

El territorio francés de ultramar está formado por cinco archipiélagos con un total de 130 islas volcánicas y atolones. Moorea es una de las Islas de Barlovento. Está al oeste y a la vista de Tahatí, donde está Papeete, la capital de la Polinesia Francesa. Desde aquí se puede llegar a este pequeño paraíso del buceo en una media hora en bote o en 10 minutos en avión. En Moorea hay algunas bases.

La imagen que uno tiene de los mares del sur se hace realidad en Moorea: montañas, abruptos valles, exuberante vegetación, idílicas playas y lagunas aturquesadas rodeadas por un arrecife. Las aguas limpias y claras de agradables temperaturas y las 3.000 horas de sol al año convierten la isla en una región de buceo ideal, segura y no

Moorea ●

concurrida que hará las delicias de principiantes y expertos.

Se distinguen tres zonas de buceo. En primer lugar están las lagunas protegidas, cuya superficie arenosa tranquila y llana con formaciones de coral aisladas son perfectas para el aprendizaje de los principiantes. Hay mucho que ver, como las rayas, que son muy quereciosas ya que se las suele alimentar con restos de pescado. Sin embargo, quien esté bajo el agua cuando se les dé de comer, no debe nunca olvidar que se trata de rayas látigo, no de peluches.

Como segunda opción, los buceadores disponen de suaves pendientes fuera de las lagunas, en el arrecife exterior de la isla. Los corales duros son típicos de la zona. Los encuentros con algunos peces grandes, así

❖ **Profundidad:** 10-40 m

❖ **Visibilidad:** 10-30 m

❖ **Temperatura del agua:** 26-30 °C

❖ **Mejor época del año:** julio-dic.

❖ **Dificultad:** ■–■■■■■

❖ **Diversidad de corales:** ■■■

❖ **Diversidad de peces:** ■■■■

❖ **Peces grandes:** ■■■■■

❖ **Pecios:** –

❖ **Cuevas:** –

❖ **Paredes:** –

❖ **Buceo con esnórquel:** ■■■

como con bancos de barracudas, peces napoleón y tortugas están a la orden del día. Una base garantiza incluso el avistamiento de tiburones.

La tercera zona de buceo son los pasajes del arrecife circundante, donde los buceadores pueden vivir intensas experiencias si se presentan corrientes. Esta área está reservada únicamente para expertos.

Una ventaja es que los puntos de inmersión no están lejos de las bases. Una de las mejores inmersiones se inicia en Coral Rose Garden, al norte de Moorea, donde pueden admirarse heterogéneos corales. Se sale a la superficie en Lemon Shark Valley, donde la atracción estrella son los tiburones limón. En Tiki y Taotoi, en la punta noroeste de la isla, siempre pueden verse algunos de sus parientes como tiburones grises, nodriza, de puntas negras y de puntas blancas.

En los meses de verano, uno tiene la suerte de poder hacer esnórquel junto a enormes ballenas jorobadas que pasan cerca de la costa, un momento culminante en la vida de cualquier buceador.

Página contigua: Ballena majestuosa en las aguas de Tahití

Arriba: Un buceador se encuentra con un tiburón en el cabo de descompresión

Abajo: Moorea a vista de pájaro

Islas Fiyi

EL ESTADO INSULAR DEL MERIDIANO 180, LA LÍNEA INTERNACIONAL DE CAMBIO DE FECHA, SUELE CONOCERSE COMO EL «CENTRO DE LOS CORALES BLANDOS». EL MUNDIALMENTE FAMOSO PUNTO DE INMERSIÓN GREAT WHITE WALL ES UN VERDADERO DELEITE PARA LA VISTA.

Las islas Fiyi están unos 3.000 kilómetros al este de Australia y eran consideradas peligrosas hasta finales del XVIII, por la presencia de antropófagos. El idílico país es hoy muy hospitalario y sólo una tumba recuerda al último rey caníbal. Las 332 islas Fiyi se independizaron en 1970 y se convirtieron en república en 1987. Varios golpes de Estado han desestabilizado el país en los últimos años, provocando altibajos en el sector turístico. No obstante, se han establecido varias bases en las islas principales Viti Levu y Vanua Levu, así como en algunas otras. Éstas ofrecen salidas con una o dos inmersiones o excursiones de un día.

La topografía de los puntos de inmersión es muy variada: hay paredes, arrecifes de pendientes suaves o pequeñas montañas de coral aisladas llamadas «boomies», que emergen de la superficie en forma de setas.

El este de Viti Levu es muy popular, especialmente los arrecifes de las islas cercanas Mamanuca y Yasawa. Lo mismo puede decirse de la isla Nananu-i-Ra, frente a la ciudad de Rakiraki. Al norte, pueden verse peces grandes en Breath Taker; Dream Maker impresiona con su hermosa manta de corales. En los Pinnacles y en el punto de inmersión Golden Dreams (cuyo nombre alude al color de los corales blandos), pueden contemplarse verdaderas torres de coral.

Ningún buceador que venga a las Fiyi debe perderse la Great White Wall, el lugar más conocido del archipiélago. La pared vertical «blanca» está en el Rainbow Reef, situado frente a la isla de Taveuni, a la

Islas Fiyi ●

que se llega en una hora de avión desde la capital Suva, en Viti Levu. Este lugar presenta frecuentes y abundantes corrientes, y está adornado con pequeños corales blancos a lo largo de 50 metros. Lo mejor es llegar aquí desplazándose desde la cresta arrecifal a través de un impresionante túnel.

Éste es uno de los muchos puntos de inmersión del estrecho de Somosomo, que separa Taveuni y Vanua Levu. Entre éstos se encuentran Yellow Grotto, Annies Boomie, Jerry's Jelly o The Ledge. Las fachadas de muchos arrecifes están decoradas con llamativos corales de tonos rojo, lila, rosa, amarillo y naranja.

Para llegar a los puntos de inmersión del canal nororiental de Blighwater, lo mejor es embarcarse en un crucero. Aquí esperan el Arrecife E 6, que asciende desde los 1.000 metros de profundidad, o el Mount Mutiny, que se eleva como un oasis en aguas profundas. En Cat's Meow o Human Resorce, nadan disparados miles de peces tres colas entre explosivos colores. En el Nigali Passage, se viven emociones intensas con tiburones, barracudas, caballas, meros, morenas y serpientes marinas.

Página contigua: Varios corales blandos establecidos en una acrópora aplanada muerta

Arriba: Fascinante juego cromático con una babosa de mar

Abajo: Coral blando bajo un saliente

....

70 **FICHA**

❖ **Profundidad:** 5-40 m

❖ **Visibilidad:** 10-40 m

❖ **Temperatura del agua:** 27-30 °C

❖ **Mejor época del año:** abril-oct.

❖ **Dificultad:** ■–■■■■

❖ **Diversidad de corales:** ■■■■■

❖ **Diversidad de peces:** ■■■■

❖ **Peces grandes:** ■■■■

❖ **Pecios:** ■■■

❖ **Cuevas:** ■■■

❖ **Paredes:** ■■■■■

❖ **Buceo con esnórquel:** ■■■■

....

Nueva Zelanda

EN EL ENTORNO DE LA APARTADA NUEVA ZELANDA, LA GAMA DE CRIATURAS MARINAS ES MUY HETEROGÉNEA Y ABARCA ESPECIES DE AGUAS FRÍAS Y CÁLIDAS. LOS PUNTOS DE INMERSIÓN MÁS POPULARES SE ENCUENTRAN EN LA ZONA DE LAS POOR KNIGHT ISLANDS.

Nueva Zelanda

Página contigua: Elegantes rayas deslizándose por las aguas de las Poor Knight Islands

Abajo izquierda: El bosque de algas es el salón de la ictiofauna

Abajo derecha: Diminuto triple aleta de ojos azules en la vistosa terraza de su agujero

La isla Sur y la isla Norte son las dos islas principales de Nueva Zelanda y están separadas por el estrecho de Cook. A éstas se añaden otras 700 islas menores; las del norte están a medio camino en dirección a las islas Fiyi, y las del sur forman parte de las islas subantárticas. Los 15.000 kilómetros de franja costera del país tienen mucho que ofrecer.

La isla Sur no recibe tantos buceadores pero hay zonas de gran interés. En la Fjordland Marine Reserve, situada en el sudoeste e integrada en el universo paisajístico de Milford Sound, crecen corales negros y rojos ya a profundidades de entre 5 y 20 metros. La Isla Stewart, en el extremo sur, destaca por una gran biodiversidad de peces y, en la costa este, cerca de la ciudad de Kaikoura, se ven ballenas, delfines, leones marinos, tiburones azules e incluso marrajos. Los Waikoropupu Springs, al norte de la isla Sur, son quizá los manantiales kársticos más cristalinos del mundo. En Marlborough Sound, en el extremo norte, se puede visitar el pecio ruso del MS *Mikhail Lermontov*.

Bañada por corrientes cálidas subtropicales, la isla Norte tiene más afluencia de buceadores. La mayoría de las zonas de buceo están al norte de Auckland. Frente a la ciudad de Tauranga hay conocidos lugares

para ver langostas. En la Tuhua Marine Reserve, algo más al norte, hay puntos de inmersión con cuevas, paredes y bosques de algas muy poblados. En torno al volcán activo de White Island, situado a unos 50 kilómetros de la ciudad de Whakatane, hay esparcidos algunos lugares impregnados de aventura.

Desde el puerto de Tutukaka sólo hay 21 kilómetros hasta las Poor Knight Islands, que ofrecen varios puntos de inmersión excelentes. En Northern Arch se aparean las rayas látigo y en el túnel de Blue Maomao Arch viven bancos de peces homónimos. En las esponjas se descubren pequeños blénidos y babosas; frente a las paredes o entre las laminarias nadan especímenes tropicales como el *red pigfish*, la damisela, la morena, el rascacio o los lábridos.

El antiguo buque insignia de Greenpeace *Rainbow Warrior* fue hundido frente a las islas orientales de Cavalli, tras quedar dañado al sufrir un atentado por parte del servicio secreto francés en el puerto de Auckland en 1985. Con el tiempo, el pecio ha sido colonizado por anémonas joya y peces. Algo más al sur deambulan numerosos delfines frente al pequeño centro turístico de Pahaia, en la idílica bahía de las Islas.

71 FICHA

(Los datos se refieren a la principal zona de buceo, situada en torno a las Poor Knight Islands)

❖ **Profundidad:** 10-36 m

❖ **Visibilidad:** 10-30 m

❖ **Temperatura del agua:**
enero-abril: 20-23 °C, mayo-sept.: 15-16 °C y sept.-dic.: 16-20 °C

❖ **Mejor época del año:** enero-abril

❖ **Dificultad:** ■–■■■■■

❖ **Diversidad de corales:** ■■■■

❖ **Diversidad de peces:** ■■■■

❖ **Peces grandes:** ■■■■

❖ **Pecios:** ■■■

❖ **Cuevas:** ■■■■

❖ **Paredes:** ■■■

❖ **Buceo con esnórquel:** ■■■

Gran Barrera de Coral (norte)

EL ARRECIFE MÁS LARGO DE LA TIERRA SE HALLA FRENTE A LA COSTA ORIENTAL DE AUSTRALIA Y ESTÁ PROTEGIDO POR LA UNESCO COMO PATRIMONIO DE LA HUMANIDAD. LAS ISLAS TROPICALES, LOS PECES, LOS CORALES Y LAS BALLENAS FASCINAN A MILLONES DE TURISTAS.

Con una longitud de 2.300 kilómetros, la Gran Barrera de Coral es la construcción más grande realizada por los organismos más pequeños del mundo. Para ser exactos, se trata de casi 2.900 arrecifes y casi 1.000 islas, rodeados por aguas claras y una rica biodiversidad marina. Este arrecife de 10.000 años de antigüedad está protegido completamente por su patrimonio natural y suele considerarse como la octava maravilla del mundo.

Discurre casi paralelo a la costa del estado australiano de Queensland y se divide en diferentes segmentos debido a su gran longitud. La zona norte de la Gran Barrera de Coral incluye la región de Cairns, los Ribbon Reefs, el norte del mar del Coral y los Far Northern Reefs, al este de la península del Cabo York.

Según los entendidos, los mejores arrecifes son los Far Northern Reefs, entre Lizard Island y el estrecho de Torres, situado frente a Papúa Nueva Guinea. Están intactos y apartados, y sólo se ofrecen cruceros de agosto a diciembre debido al tiempo. La mayoría de los viajes se inician en Lockhart River, unos 500 kilómetros al norte de la ciudad de Cairns. En los puntos de inmersión, la visibilidad es muy buena, suele haber fuertes corrientes y pueden verse diferentes especies de tiburón.

En muchos puntos de inmersión de la Gran Barrera de Coral puede vivirse una experiencia muy especial: el *coral spawning*. Se produce en noviembre, cuando los corales expulsan óvulos y espermatozoides.

Gran Barrera de Coral (norte)

Muchos peces son atraídos por estos manjares y se forma un fantástico juego de colores.

Los arrecifes del norte del mar del Coral ascienden desde los 1.000 metros de profundidad hasta casi la superficie. Las formaciones de Osprey Reef, Holmes Reef y Bougainville Reef están lejos de tierra firme y sólo se llega hasta ellos en *liveaboard* desde Cairns o Port Douglas. El largo viaje de casi 350 kilómetros se ve recompensado con vertiginosas paredes, ágiles depredadores, peces napoleón, mantas, enormes abanicos de mar y corales blandos.

Poblado por amigables meros gigantes, Cod Hole es el punto de inmersión más conocido del Ribbon Reef, de 100 kilómetros de largo y ubicado frente a Cooktown. Sólo se llega hasta aquí con viajes organizados de varios días. La época en la que es más probable ver rorcuales aliblancos es entre mayo y julio.

Frente a Cairns y Port Douglas se encuentran los puntos de inmersión más visitados y económicos de la Gran Barrera de Coral y se llega hasta ellos en excursiones de un día. Son recomendables pero no pueden comparase con los situados en los arrecifes septentrionales.

Página contigua: Banco de barracudas jóvenes

Arriba: Imponente almeja gigante

Abajo: Una ballena encuentra a un buceador haciendo esnórquel

72 **FICHA**

❖ **Profundidad:** 2-40 m

❖ **Visibilidad:** 15-40 m

❖ **Temperatura del agua:** 22-29 °C

❖ **Mejor época del año:** Far Northern Reefs: oct.-dic. y norte del mar del Coral y Ribbon Reefs: abril-enero

❖ **Dificultad:** ■–■■■■

❖ **Diversidad de corales:** ■■■■

❖ **Diversidad de peces:** ■■■■

❖ **Peces grandes:** ■■■■■

❖ **Pecios:** ■■■

❖ **Cuevas:** ■■■

❖ **Paredes:** ■■■■■

❖ **Buceo con esnórquel:** ■■■■

PACÍFICO SUR: AUSTRALIA

Gran Barrera de Coral (sur)

POR DEBAJO DE CAIRNS HAY DOS IMPORTANTES REGIONES DE BUCEO: EL SUR DEL MAR DEL CORAL Y LA ZONA SUR DE LA GRAN BARRERA DE CORAL. SÓLO SE LLEGA A LOS PUNTOS DE INMERSIÓN EN BARCO Y PUEDEN VERSE TIBURONES, MANTAS, BALLENAS JOROBADAS O TORTUGAS.

Gran
Barrera
de Coral (sur)

La Gran Barrera de Coral está alejada de tierra firme en toda su extensión, por lo que se necesita siempre un medio de transporte para llegar a los puntos de inmersión. Los buceadores tienen muchas opciones. El que desee ahorrarse los viajes de un día en barco, puede ir en helicóptero, hidroavión o *liveaboard*. También existe la posibilidad de quedarse varios días en una isla o realizar un viaje más corto para practicar esnórquel. Hay operadores especiales que ofrecen estos servicios si uno desea evitar los enormes y abarrotados barcos.

En el sur, la Gran Barrera de Coral traspasa el Trópico de Capricornio y llega hasta la altura de la ciudad de Bundaberg. En este enorme sistema de arrecifes hay puntos de inmersión de diferente calidad y la afluencia de buceadores también varía.

Para llegar a la franja arrecifal del sur del mar del Coral, suele salirse de Townsville. La mayoría de los lugares de buceo están unos 230 kilómetros, lo que supone un viaje de unas 12 horas. Frecuentemente hay mucho oleaje por lo que sólo se recomienda a los buceadores más experimentados y familiarizados con el mar. Una vez allí, el esfuerzo se ve ampliamente recompensado: óptimas condiciones de visibilidad, inmersiones a la deriva, paredes abruptas, encuentros con diversas especies de tiburones, mantas o rayas, así como grandes abanicos de mar y esponjas gigantes.

Es interesante ver cómo se alimenta a los tiburones en el Flinders Reef, que también es conocido por

- ❖ **Profundidad:** 2-40 m
- ❖ **Visibilidad:** 10-40 m
- ❖ **Temperatura del agua:** 21-27 °C
- ❖ **Mejor época del año:** sur del mar del Coral: sept.-enero y abril-dic.
- ❖ **Dificultad:** ■-■■■
- ❖ **Diversidad de corales:** ■■■■
- ❖ **Diversidad de peces:** ■■■■■
- ❖ **Peces grandes:** ■■■■■
- ❖ **Pecios:** ■■■
- ❖ **Cuevas:** ■■■
- ❖ **Paredes:** ■■■■
- ❖ **Buceo con esnórquel:** ■■■■■

sus tortugas. Debido al tiempo, Herald Cay y el arrecife Dart no reciben tanta afluencia. En cambio, el pecio de 100 metros de eslora del *Yongola* (entre 18 y 30 metros de profundidad) suele visitarse bastante. Se hundió durante una tormenta a sólo ocho kilómetros de la costa de Townsville y está protegido por su patrimonio histórico y natural. Actualmente se encuentra totalmente invadido por corales y ofrece protección a peces grandes y pequeños.

La zona sur de la Gran Barrera de Coral, accesible desde Gladstone o Bundaberg, constituye el segmento más grande de todo el sistema de arrecifes. Va desde las Whitsunday Islands, al norte, hasta el Capricorn & Bunker Marine Park, al sur. En este parque están las populares islas turísticas de Heron Island y Lady Elliot Island, donde se organizan cortas escapadas para ver maravillosas formaciones de corales, numerosos peces tropicales, tiburones de arrecife y tortugas. La emoción dura todo el año: tortugas recién salidas del huevo de enero a abril, enormes ballenas jorobadas de junio a octubre y elegantes diablos de mar de noviembre a febrero.

Página contigua: Manta en la estación de limpieza

Arriba: Pez león con sus púas venenosas

Abajo: Gran Barrera de Coral junto a Gladstone, Queensland

Tasmania

FRENTE A LA COSTA ORIENTAL DE ESTA ISLA HAY CUATRO PARQUES MARINOS QUE OFRECEN A LOS BUCEADORES BOSQUES DE ALGAS, CUEVAS, PECIOS Y SOBRE TODO DRAGONES MARINOS.

Tasmania ●

El paisaje de la isla situada al sudeste de Australia es tan impresionante que casi la mitad de su superficie se incluyó en parques nacionales y una cuarta parte fue declarada Patrimonio de la Humanidad por la Unesco. Aproximadamente una docena de bases de buceo ofrecen sus servicios a visitantes de todo el mundo, llevándolos al fantástico mundo submarino de las costas de Tasmania.

La popular región de buceo de Eaglehawk Neck, con espectaculares cuevas, está al sudeste de Hobart, la capital. Los altos farallones de Waterfall Bay se convierten bajo las olas en formaciones rocosas maravillosas pobladas por una exuberante y excepcional biodiversidad. A causa de la fuerte erosión, se han formado cuevas y túneles de diversos tipos de roca. Cathedral Cave es una de las cavernas más famosas.

Los dragones marinos, más conocidos en Tasmania como *weedy sea dragons*, se camuflan de manera fascinante en enormes bosques de algas. Estos extraños parientes de los caballitos de mar sólo existen en el sur de Australia. El *SS Nord* es un fantástico pecio con una abundante ictiofauna. Se hundió en 1915 y yace a una profundidad de 42 metros.

Abajo derecha e izquierda: Dragón marino común o *weedy sea dragon* en inglés

 FICHA

❖ **Profundidad:** 5-40 m
❖ **Visibilidad:** 10-25 m
❖ **Temperatura del agua:** 10-17 °C
❖ **Mejor época del año:** abril-julio
❖ **Dificultad:** ■–■■■■■
❖ **Diversidad de corales:** ■■
❖ **Diversidad de peces:** ■■■■
❖ **Peces grandes:** ■■■
❖ **Pecios:** ■■■
❖ **Cuevas:** ■■■■
❖ **Paredes:** ■■■
❖ **Buceo con esnórquel:** ■■

California

California

AL OESTE DE EE. UU., LOS BUCEADORES PUEDEN VIVIR UNA EXPERIENCIA MUY ESPECIAL: AQUÍ SE PUEDE BUCEAR EN BOSQUES DE ALGAS DE HASTA 30 METROS DE ALTO CON LEONES MARINOS, PECES DE VIVOS COLORES O INCLUSO TIBURONES AZULES.

El buceo frente a la costa del «estado dorado» apenas trasciende más allá del país. Los buceadores se dan cita en torno a la conocida ciudad de Monterrey, a unas dos horas de automóvil desde San Francisco yendo en dirección sur por la Ruta Estatal 1. Aquí hay muchos barcos de buceo y se puede bucear directamente desde la orilla.

La mejor zona está quizá en la reserva natural de Point Lobos, donde el número de buceadores está limitado por ley. Las inmersiones más hermosas se hacen a finales de verano junto a los sargazos gigantes, la planta acuática más larga del mundo. En la jungla submarina se ven cangrejos y estrellas de mar deambulando orgullosos, babosas alimentándose, anémonas y peces quironémidos. Las acrobacias de los leones marinos y las focas cuando cazan o juegan son fascinantes.

En Catalina Island, al sur, aparecen tiburones azules con algo de suerte. En torno a la isla crecen laminarias de hasta 30 metros de alto entre las que viven peces garibaldi de vistosos colores. Frente a San Diego, desde unas jaulas pueden verse diversos tiburones en aguas abiertas.

Arriba izquierda: Las anémonas joya parecen fuegos artificiales

Arriba derecha: Laminaria, un tipo de alga parda

Abajo: Los tiburones azules tienen los ojos grandes y el hocico largo

....

75 FICHA

- ❖ **Profundidad:** 2-40 m
- ❖ **Visibilidad:** 1-20 m
- ❖ **Temperatura del agua:** 11-22 °C
- ❖ **Mejor época del año:** julio-oct.
- ❖ **Dificultad:** ■-■■■■■
- ❖ **Diversidad de corales:** ■■
- ❖ **Diversidad de peces:** ■■■
- ❖ **Peces grandes:** ■■■
- ❖ **Pecios:** ■■
- ❖ **Cuevas:** ■■■
- ❖ **Paredes:** ■■■■
- ❖ **Buceo con esnórquel:** ■■■

....

Baja California

ENTRE LA PENÍNSULA DE CALIFORNIA Y MÉXICO HAY UNA EXTENSIÓN DEL OCÉANO PACÍFICO CON UNA RICA ICTIOFAUNA: EL GOLFO DE CALIFORNIA. BUCEADORES DE TODO EL MUNDO VIENEN AQUÍ ATRAÍDOS POR LA PRESENCIA DE MANTAS, BALLENAS, TIBURONES Y LEONES MARINOS.

● Baja California

Baja California no sólo es el nombre de la península sino también del estado situado arriba, el más septentrional de México, así como de la región de buceo en general. Aquí se encuentra el golfo de California o mar de Cortés, con una profundidad máxima de 3.000 metros. Éste tiene 1.150 kilómetros de largo y casi 160 de ancho, y va desde el delta del Colorado, al norte, hasta el Cabo San Lucas, al sur. En el golfo se mezclan corrientes de las profundidades con las nutritivas aguas del Colorado, de modo que hay un excedente alimenticio que ha favorecido el desarrollo de una vida marina muy heterogénea.

Con su bahía al sur de la península, La Paz, la capital del estado de Baja California Sur,

conforma el centro del submarinismo deportivo. Uno de los centros de buceo se encuentra algo apartado en un lugar privilegiado de la bahía de Pichilingue y dispone de una cámara de descompresión. Desde aquí se llega en una hora y media o dos de viaje en bote a los mejores lugares de inmersión situados en torno a Espíritu Santo, Los Islotes y Cerralvo. Junto a estas islas se elevan verdaderas montañas submarinas conocidas como «seamounts» desde el fondo hasta una profundidad de entre 10 y 20 metros bajo la superficie del agua. Son punto de encuentro de algunos peces oceánicos.

No lejos del centro de buceo pueden verse leones marinos en San Rafaelos Lighthouse. El pecio del *Salvatierra* está a 20 minutos más en bote.

76 FICHA

- ❖ **Profundidad:** 1-40 m
- ❖ **Visibilidad:** 5-30 m
- ❖ **Temperatura del agua:** 18-28 °C
- ❖ **Mejor época del año:** julio-nov.
- ❖ **Dificultad:** ■–■■■■■
- ❖ **Diversidad de corales:** ■■■
- ❖ **Diversidad de peces:** ■■■■
- ❖ **Peces grandes:** ■■■■■
- ❖ **Pecios:** ■■■
- ❖ **Cuevas:** ■■■
- ❖ **Paredes:** ■■■■
- ❖ **Buceo con esnórquel:** ■■■■

El trasbordador encalló en el arrecife de Swanee en 1976 y hoy es un hábitat muy apreciado por los peces. Los peces ángel real y ángel de Cortés son especialmente fotogénicos, así como los macizos cubiertos de abanicos de mar de Old Sea Lions Colony.

La Reina está al norte de la isla Cerralvo. Peces halcón gigantes, mantas y leones marinos adoran este rincón «real», donde también hay diseminados los restos de un pecio.

Los Islotes están unos 50 kilómetros al norte de La Paz. Son dos pequeñas islas rocosas situadas junto a la isla La Partida. Su peculiaridad son los más de 200 amigables leones marinos que se dejan ver durante todo el año. En estas aguas viven barracudas, morenas, navajones, damiselas y pargos.

El Bajo, más al nordeste, es conocido por sus manadas de tiburones martillo, que deambulan en aguas abiertas y profundas frente al arrecife. También se han visto muchas veces orcas, ballenas y tiburones blancos.

Asimismo, la bahía frente a La Paz promete avistamientos de tiburones ballena y mantas de septiembre a noviembre.

Página contigua: El encuentro con un tiburón ballena, el pez más grande del mundo, es un momento de felicidad absoluta para todo buceador

Arriba: Los leones marinos son modelos veloces pero perfectos

Abajo: Pez halcón de Cortés con un fantástico dibujo

Islas Socorro

EL PEQUEÑO ARCHIPIÉLAGO SITUADO 400 KILÓMETROS AL SUR DE LA PENÍNSULA DE BAJA CALI-
FORNIA PROMETE ENCUENTROS CON NUMEROSOS TIBURONES. EL SUBMARINISMO INTERACTIVO
CON ENORMES MANTAS EN LAS «GALÁPAGOS MEXICANAS» ES UNA EXPERIENCIA ÚNICA.

● Islas Socorro

Las cuatro islas volcánicas de Socorro, San Benedicto, Roca Partida y Clarión forman el archipiélago de las islas Socorro, también conocidas como las islas Revillagigedo. Se llega a ellas en cruceros desde el cabo San Lucas, en el extremo sur de Baja California. La travesía dura unas 22 horas y suele haber bastante oleaje. Clarión está ubicada a casi 400 kilómetros de la isla principal, por lo que raras veces es visitada por barcos de buceo.

Estas islas de aspecto inhóspito están deshabitadas y fueron declaradas reserva de la biosfera por la Unesco en 1994. En Socorro y Clarión está estacionada la marina mexicana que, entre otras cosas, controla la prohibición de pesca decretada en 2002 tras una gran matanza de peces grandes.

San Benedicto es internacionalmente famosa por sus mantarrayas gigantes, cuyas «alas» alcanzan una envergadura de hasta seis metros. Estos pacíficos colosos se pueden ver en torno al Submarine Canyon, situado en la parte oriental de este islote de seis kilómetros cuadrados. El lugar empieza 15 metros bajo la superficie y desciende hasta unos 2.000 metros.

La montaña submarina conocida como Boiler es sobrecogedora. Se eleva desde una profundidad de 50 metros. Aquí es posible disfrutar del buceo interactivo con mantas: los imponentes colosos disfrutan de las caricias de los buceadores, quedándose como hipnotizados durante un tiempo. Tocar las mantas está prohibido en todo el mundo y sólo aquí se permite tras una exhaustiva sesión formativa en la que

se indica el correcto comportamiento con los animales. Los guantes, los cuchillos y las lámparas son tabú, así como tocar las puntas de las alas o la cola. Hay que tener también precaución con las rémoras que se adhieren a las mantas ya que pueden morder.

Los dos puntos de inmersión ofrecen mucho más que ver. En las cuevas dormitan tiburones de puntas blancas junto a langostas, y se ven meros al acecho y rayas enterrándose en la arena. Peces ángel anaranjados y polícromos lábridos llenan de color el arrecife.

Roca Partida está totalmente desprotegida en el Pacífico y sus aguas sólo pueden explorarse si el tiempo acompaña. En torno a los peñascos submarinos de este grandioso lugar se reúnen grandes habitantes del Pacífico. Cientos de caballas negras nadan apiñadas, tiburones sedosos, de Galápagos y de puntas plateadas deambulan de un lado a otro y algo más abajo puede contemplarse una manada de tiburones martillo. En Papos Reef, junto a Socorro, aparecen tiburones entre caballas, roncos y peces mariposa.

Página contigua: Socorro es conocida por sus mantas

Arriba: Hembra de lábrido en las aguas de San Benedicto

Abajo: Las mantas se acercan a los buceadores para que las acaricien

....

 77 FICHA

❖ **Profundidad:** 10-40 m

❖ **Visibilidad:** 5-35 m

❖ **Temperatura del agua:** 21-28 °C

❖ **Mejor época del año:** nov.-mayo

❖ **Dificultad:** ▪–▪▪▪▪▪

❖ **Diversidad de corales:** ▪▪

❖ **Diversidad de peces:** ▪▪▪▪

❖ **Peces grandes:** ▪▪▪▪▪

❖ **Pecios:** ▪

❖ **Cuevas:** ▪▪▪

❖ **Paredes:** ▪▪▪▪▪

❖ **Buceo con esnórquel:** ▪▪

....

Isla del Coco

LOS BUCEADORES QUE DESEEN SUMERGIRSE EN EL MUNDO SUBMARINO DE LA ISLA DEL COCO, DEBEN RESIGNARSE A UN LARGO VIAJE. SIN EMBARGO, MERECE LA PENA: LAS MANADAS DE TIBURONES MARTILLO Y LA INCREÍBLE ICTIOFAUNA SON UNA VERDADERA MARAVILLA.

Aislada en medio del Pacífico a unos 500 kilómetros de Costa Rica, de sólo 24 kilómetros cuadrados y totalmente deshabitada, la isla del Coco tiene un aire místico y se hizo popular por la supuesta existencia de tesoros piratas escondidos. Varias expediciones se han internado en la frondosa selva, que persiste incluso a 900 metros de altitud, pero hasta ahora no se ha encontrado nada.

El verdadero tesoro de la isla volcánica es su naturaleza salvaje, con más de 200 cascadas, gargantas, montañas y un escenario submarino fascinante. Por eso, además de convertirse en área protegida en 1978, la Unesco la declaró Patrimonio de la Humanidad junto con las aguas circundantes en 1997.

Para los buceadores expertos, la isla del Coco es uno de esos sueños difíciles de alcanzar. Sólo unos pocos cruceros se acercan hasta aquí y suelen estar completos con mucha antelación. El puerto de salida es Puntarenas, en Costa Rica. La travesía dura unas 36 horas y suele presentar bastante oleaje. Aquéllos que la superen, se verán recompensados como reyes con las intensas experiencias que ofrecen más de una docena de puntos de inmersión.

La garantía absoluta de ver tiburones atrae a buceadores de todo el mundo. Las inmersiones son inolvidables, fascinantes, incomparables. Sólo en las Galápagos puede vivirse algo parecido. Docenas de tiburones martillo surcan tranquilamente las aguas y puede verse de cerca cómo se dejan desparasitar en

Isla del Coco ●

162 | OCÉANO PACÍFICO

- ❖ **Profundidad:** 3-40 m
- ❖ **Visibilidad:** 15-30 m
- ❖ **Temperatura del agua:** 21-28 °C
- ❖ **Mejor época del año:** nov.-mayo
- ❖ **Dificultad:** ■■■-■■■■■
- ❖ **Diversidad de corales:** ■■
- ❖ **Diversidad de peces:** ■■■■
- ❖ **Peces grandes:** ■■■■■
- ❖ **Pecios:** ■
- ❖ **Cuevas:** ■■
- ❖ **Paredes:** ■■■■■
- ❖ **Buceo con esnórquel:** ■■■

las estaciones de limpieza. A éstos hay que añadir los numerosos tiburones de puntas blancas, que no pueden encontrarse en tal cantidad en ningún otro lugar. De día se recuestan en el fondo y en inmersiones nocturnas se los puede ver increíblemente activos, en todo su esplendor. La isla de Malpelo, situada unos 400 kilómetros al sudoeste de la isla del Coco y perteneciente a Colombia, también es conocida por sus fondos de buceo con tiburones martillo. Puede llegarse a ella desde Costa Rica.

Contemplar a los grandes depredadores en acción es toda una experiencia, no sólo para fotógrafos y cámaras submarinos. Con algo de suerte, puede verse en directo cómo cientos de pequeñas sardinas forman *baitballs* cerca de la superficie al verse atacadas por atunes o caballas, que arremeten salvajemente contra estos grupos de defensa esféricos en rotación. Diversos tiburones, delfines, petos o pájaros se apuntan al festín, con lo que también pueden contemplarse sus técnicas de caza.

La nueva sensación son las inmersiones con el submarino *DeepSee*, que desde 2008 desciende hasta 300 metros de profundidad desde el buque nodriza *Argo*, perteneciente al Undersea Hunter Group.

Página siguiente: Cardumen de tiburones martillo

Arriba: Familia de morenas hambrientas

Abajo: Encuentro con el extravagante pez murciélago de labios rojos

Islas Galápagos

LAS ABUNDANTES CORRIENTES Y UNAS AGUAS NUTRITIVAS ATRAEN A UNA FASCINANTE ICTIOFAUNA AL APARTADO ARCHIPIÉLAGO DE LAS GALÁPAGOS. SON UNA EXCELENTE REGIÓN DE BUCEO PARA CONTEMPLAR BALLENAS, TIBURONES, RAYAS Y LEONES MARINOS.

Islas Galápagos ●

Las «islas encantadas» están a unos 1.000 kilómetros de Ecuador. En las 13 islas principales y las numerosas islas menores prospera una fauna ancestral y parcialmente endémica. Las excursiones por tierra permiten ver iguanas marinas de aspecto primitivo, iguanas terrestres, enormes tortugas, cormoranes, albatros, fregatas, alcatraces patiazules y los pequeños fringílidos que llevan el nombre de Darwin.

El área está protegida desde 1959. Actualmente, la superficie terrestre y marina forman parte del Patrimonio de la Humanidad de la Unesco. Por ley, un guía oficial debe estar siempre presente en las excursiones y los cruceros de buceo.

En *liveaboards* o barcos de buceo de diferentes bases se llega a los lugares de inmersión de la isla principal. Éstos son excepcionales y ofrecen todo un crisol de formas de vida marinas. Sin embargo, bucear aquí no es fácil: las termoclinas, las corrientes, el oleaje y la visibilidad varían cada día, por lo que se requiere experiencia. El escenario submarino se caracteriza por presentar rocas de lava en lugar de las coloridas formaciones coralinas de las aguas tropicales.

Situado en la costa oriental de Santa Cruz, Gordon Rocks es uno de los lugares más famosos. Aquí se bucea en un viejo cráter. En este enorme acuario hay mucho que ver: morenas, diversas rayas, tiburones martillo y de Galápagos, tortugas, leones marinos y muchos peces de arrecife. En Pinnacle Rock, frente

a la pequeña isla de Bartolomé, se contemplan crustáceos en las grietas y las cuevas, así como bancos de peces y rayas en aguas abiertas. En el fondo descansan tiburones de puntas blancas. Los ágiles pingüinos de Galápagos son únicos; se puede hacer esnórquel con ellos entre las inmersiones.

Más al norte, Cousins Rock emerge unos 10 metros del agua frente a la costa este de la isla de Santiago. Bajo la roca crecen corales negros endémicos en una fantástica pared. El micromundo está poblado de invertebrados como moluscos, equinodermos, gusanos e incluso caballitos de mar, que aquí pueden superar los 25 centímetros. También pueden verse de cerca tiburones martillo, barracudas, águilas marinas y mantas. En las zonas superiores, curiosos leones marinos cruzan disparados de un lado a otro.

Es posible también hacer interesantes inmersiones en diferentes puntos de las islas Floreana, Seymour, Santa Fé, Mosquera, Daphne o las islas Plaza. Algunos de los mejores están en el extremo noroeste, en torno a las deshabitadas islas Wolf y Darwin, descritas en el lugar de buceo n.º 80.

Página contigua: Estrellas desplazándose en el fondo del mar

Abajo izquierda: Raya sobre corales negros

Abajo derecha: Pez ángel de vistosos colores

 79 **FICHA**

❖ **Profundidad:** 1-40 m

❖ **Visibilidad:** 5-25 m

❖ **Temperatura del agua:** enero-junio: 24-29 °C y julio-diciembre: 16-23 °C

❖ **Mejor época del año:** agosto-nov.

❖ **Dificultad:** ■■■–■■■■■

❖ **Diversidad de corales:** ■■

❖ **Diversidad de peces:** ■■■■

❖ **Peces grandes:** ■■■■■

❖ **Pecios:** –

❖ **Cuevas:** ■■

❖ **Paredes:** ■■■■■

❖ **Buceo con esnórquel:** ■■

Wolf y Darwin

ESTAS DOS ISLAS SE ENCUENTRAN ENTRE LOS MEJORES DESTINOS DE BUCEO DEL MUNDO. GOZAN DE UN ESTADO DE PROTECCIÓN ESPECIAL Y POCOS BARCOS DE SAFARI PUEDEN LLEGAR HASTA ELLAS. JUNTO A DARWIN, SE UBICA ARCH, UN EXCELENTE PUNTO DE INMERSIÓN.

Wolf y Darwin ●

Tras ser descubiertas por el obispo español Tomás de Berlanga en 1535, Charles Darwin fue el siguiente visitante de las islas Galápagos que dio que hablar. En 1835 interrumpió aquí su viaje de investigación en el *Beagle* durante algunas semanas. Las aisladas islas eran un entorno ecológico ideal para el desarrollo de las observaciones que lo llevarían más tarde a formular la Teoría de la Evolución.

Esta famosa zona de poca extensión fue incluida en la lista roja de la Unesco en 2007; la razón era el «creciente turismo, que introduce cada vez más especies foráneas». Desde entonces, los buceadores tienen que someterse a las estrictas y algo incomprensibles reglas de la administración del parque. La nueva normativa afecta sobre todo a las excelentes regiones en torno a las islas Wolf y Darwin, al norte del archipiélago. Actualmente, sólo cinco cruceros están autorizados a poner rumbo a las islas. La travesía de 260 kilómetros en dirección noroeste se inicia en Puerto Ayora, en Santa Cruz.

Se fondea al norte de Wolf, en una zona de escarpados farallones. Con la embarcación de apoyo, los buceadores van a la punta sudeste, donde se dividen las corrientes y circulan los tiburones martillo. Mientras más tranquilo se comporte uno, más se acercan los elegantes depredadores. Entre la roca volcánica oscura viven morenas verdes, grandes peces halcón, meros, tortugas e indios.

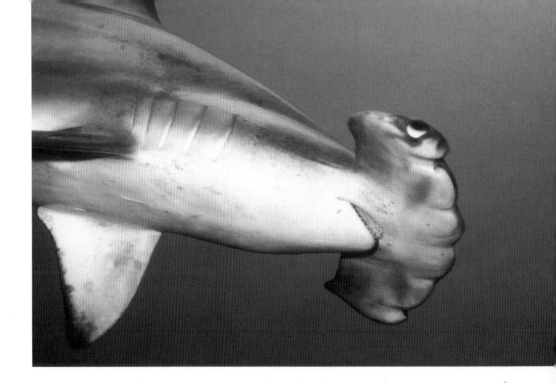

❖ **Profundidad:** 1-40 m

❖ **Visibilidad:** 5-25 m

❖ **Temperatura del agua:**
enero-junio: 24-29 °C y
julio-diciembre: 16-23 °C

❖ **Mejor época del año:**
agosto-nov.

❖ **Dificultad:** ■■■–■■■■■

❖ **Diversidad de corales:** ■■

❖ **Diversidad de peces:** ■■■■

❖ **Peces grandes:** ■■■■■

❖ **Pecios:** –

❖ **Cuevas:** ■■

❖ **Paredes:** ■■■■■

❖ **Buceo con esnórquel:** ■■

Es posible sentir los caprichos de la naturaleza
en una sola inmersión: puede haber diferencias de
temperatura de 10 grados centígrados, la visibilidad
puede oscilar entre 5 y 20 metros y la corriente
puede cambiar bruscamente. En general, los vientos
alisios del nordeste y la corriente de Panamá aumen-
tan la temperatura del agua en la primera mitad del
año. A partir de julio, los vientos alisios del sudeste y
la corriente de Humboldt la enfrían de 16 a 23 grados.

Darwin está a casi 40 kilómetros de Wolf. Miles
de sedentarios bonitos nadan apiñados en el famoso
Arch. También hay tiburones martillo; a veces se
trata de 30 y otras de más de 300. Algunos leones
marinos se mueven ágilmente y suelen jugar con tiburones de puntas blancas pequeños mordiéndoles en
las aletas. Las rayas también han encontrado aquí su
hábitat. Con suerte, durante la parada de seguridad
se ven incluso mantas o, entre agosto y septiembre,
algún tiburón ballena.

Página contigua: Los leones marinos
son verdaderos acróbatas acuáticos

Arriba: Tiburón martillo en el extremo
sudeste de la isla Wolf

Centro: En medio de un banco
de caballas

Abajo: Zapaya en la zona intermareal

El mar adyacente del Atlántico limita al norte con las Bahamas, al este con las Antillas Menores, al sur con el norte de Sudamérica y al oeste con el istmo centroamericano. Además de maravillosos arrecifes con gorgonias, esponjas y numerosos peces, en esta región de buceo tropical también se hallan paredes, pecios y cuevas. Los encuentros con tiburones y delfines son un verdadero espectáculo.

MAR CARIBE

Granada

LA ISLA CARIBEÑA INVITA AL *EASY DIVING* EN AGUAS CÁLIDAS, TRANSPARENTES Y LLENAS DE PECES. FRENTE A LA COSTA HAY NUMEROSOS PECIOS, ARRECIFES DE CORAL INTACTOS Y UN PARQUE DE ESCULTURAS SUBMARINO.

Granada

Granada, la «isla de las especias», forma el estado homónimo junto con las islas vecinas Pequeña Martinica y Carriacou (véase lugar de buceo n.º 82). El país es miembro de la Mancomunidad de Naciones, está unos 180 kilómetros al norte de Venezuela y pertenece a las Antillas Menores.

Desde que Granada fue descubierta por Colón en 1498, ha tenido una historia bastante agitada. El producto de exportación más famoso es la nuez moscada pero el factor económico más significativo es el turismo. Playas idílicas y ofertas de vacaciones activas atraen anualmente a 400.000 turistas, entre ellos muchos buceadores. Algunas bases de buceo se han establecido en el extremo sudoeste,

donde hay unas dos docenas de lugares de inmersión. Las nutritivas aguas y las corrientes atraen a numerosos peces. Muchas de las inmersiones también son aptas para principiantes.

El mejor pecio de Granada, el *Bianca C*, está reservado a buceadores con experiencia. El crucero de 200 metros de eslora conocido como el «Titanic del Caribe» yace derecho a 52 metros de profundidad en el Wibbles Reef. Aquí debe descenderse en caída libre a través de las corrientes hasta la cubierta superior, a 30 metros de profundidad. El pecio esconde muchas sorpresas y es un oasis y una zona de concentración para flora y fauna.

El pecio conocido como *Quarter* (10 metros de profundidad) y el *Veronika* (15 metros de profundidad)

81 FICHA

❖ **Profundidad:** 10-40 m

❖ **Visibilidad:** 15-50 m

❖ **Temperatura del agua:** 24-29 °C

❖ **Mejor época del año:** nov.-mayo

❖ **Dificultad:** ■–■■■■■

❖ **Diversidad de corales:** ■■■■

❖ **Diversidad de peces:** ■■■■

❖ **Peces grandes:** ■■■

❖ **Pecios:** ■■■■■

❖ **Cuevas:** ■

❖ **Paredes:** ■■

❖ **Buceo con esnórquel:** ■■■

son aptos para principiantes. Los pecios *Shakem* y *Rum Runner* están a unos 30 metros de profundidad y merecen la pena para buceadores avanzados. Algunos tiburones nodriza que vivían en el *San Juan* (28 metros de profundidad) y el *King Mitch* (38 metros de profundidad) emigraron al *HEMA 1*, hundido en 2005. Bucear en estos tres pecios es difícil y a veces imposible debido a las fuertes corrientes, pero sí reciben la visita permanente de águilas de mar, tortugas y pastinacas.

En Boss Reef, situado al sudoeste frente a la conocida playa Grand Anse, hay maravillosos jardines de coral típicamente caribeños como Tropicana, Japanese Gardens o Japanese Valleys. Flamingo Bay, Happy Hill y Moliniere Bay están en un parque marino protegido más al norte. Se trata de hermosas aglomeraciones de corales a poca profundidad, ideales para hacer esnórquel.

En las agitadas aguas de la parte atlántica se encuentra Shark Reef, donde crecen tiburones nodriza y puede llegarse a ver alguna manta surcando las aguas. Lobster Point se hizo famoso por sus langostas y Stingray City por sus rayas.

El parque de esculturas submarino de Moliniere Bay, en la costa occidental, ha sido objeto de atención en los últimos años. Las 65 esculturas del artista Jason Taylor pueden contemplarse mientras se practica el esnórquel.

Página contigua: Un tiburón nodriza busca protección en el pecio del *San Juan*

Arriba: Existen maravillosos jardines de coral blando incluso a poca profundidad

Centro: Mirada a través del ojo de buey del *King Mitch*

Abajo: Disputa entre cangrejos ermitaños

Carriacou

QUIEN BUSQUE EL CARIBE ORIGINAL, GENUINO Y TRANQUILO ESTARÁ MÁS QUE SERVIDO CON LAS INMERSIONES QUE OFRECEN LAS AGUAS DE CARRIACOU. LA ISLA PERTENECE A LAS GRANADINAS Y, HASTA HOY, APENAS ES CONOCIDA MÁS ALLÁ DE LOS CÍRCULOS DE ENTENDIDOS.

Carriacou

Página contigua: Coral de pilares en el lugar de inmersión Pagoden City

Arriba: Retrato de una pequeña aguja de mar

Abajo: Espléndido ejemplar de langosta

82 FICHA

❖ Profundidad: 8-40 m

❖ Visibilidad: 15-60 m

❖ Temperatura del agua: 25-29 °C

❖ Mejor época del año: nov.-mayo

❖ Dificultad: ■-■■■■■

❖ Diversidad de corales: ■■■■

❖ Diversidad de peces: ■■■■

❖ Peces grandes: ■■■

❖ Pecios: ■■■

❖ Cuevas: ■

❖ Paredes: ■■■

❖ Buceo con esnórquel: ■■■■

Carriacou es la pequeña isla vecina de Granada. Desde aquí se puede llegar hasta ella en catamarán o avioneta. La mayoría de los habitantes viven de la agricultura. Aquí no hay prisas y el turismo tiene un papel poco determinante. Sólo hay pequeñas pensiones y únicamente se bucea desde los botes. Carriacou significa «tierra de los arrecifes» y, ciertamente, la montañosa isla está rodeada de impresionantes arrecifes de coral intactos. Con lugares de inmersión cercanos a la costa, es un pequeño paraíso para el buceo con escafandra o esnórquel.

Al igual que Granada y contrariamente a la mayoría de los destinos del Caribe, la isla está fuera del cinturón de huracanes, lo que hace posible poder bucear entre junio y noviembre, cuando en el resto del Caribe siempre hay riesgo de ciclones.

Aquí es típico ver bosques de coral blando, imponentes arbustos de coral negro, diferentes corales duros y esponjas gigantes. La diversidad de la fauna submarina es también fascinante. En esta isla se concentra gran parte de la biodiversidad del Caribe: desde pequeñas babosas y crustáceos hasta grandes langostas; desde diminutos blénidos hasta enormes barracudas y tiburones. Lo mejor es bucear entre 8 y 25 metros, y no es habitual descender más.

La mayoría de los puntos de inmersión están al oeste de la isla, frente a la pequeña capital Hillsborough. En Divers Surprise abundan las pequeñas criaturas. En Western Adventure, junto a Sandy Island, suelen verse grandes peces y pueden hacerse atractivas inmersiones a la deriva.

Sorprendentemente, apenas hay pecios pese a la cantidad de arrecifes. Por esta razón, se hundieron dos remolcadores junto a la pequeña isla Mabouya con la idea de convertirlos en arrecifes artificiales. Frente a la isla se puede bucear además entre bosques de corales vírgenes en World of Dreams. Cerca de allí, en Sharkies Hideaway, descansan enormes tiburones nodriza durante el día. Debido a la actividad volcánica, en Magic Garden salen burbujas de la arena, un paraíso para las babosas.

Cerca de Carriacou se ubican las Sister Rocks, que ofrecen excelentes inmersiones: corales blandos, gorgonias y esponjas, trompetas, langostas, peces ángel, pargos, tortugas y caballas. Las formaciones de coral de Chinatown, frente a la isla meridional Frigate, recuerdan a pagodas. En Tobago Keys se contemplan águilas marinas y tiburones de arrecife.

No lejos del profundo e intacto volcán submarino Kick'em Jenny, hay una zona de buceo de primera accesible desde Carriacou y Granada: Isla Ronde, donde una profunda pared exhibe corales látigo, orejas de elefante, esponjas vasiformes y enormes esponjas barril.

Bonaire

SUS HABITANTES LA LLAMAN «PARAÍSO DE LOS BUCEADORES». NO ES PARA MENOS:
LA ISLA SEDUCE A SUS VISITANTES CON UN MARAVILLOSO PAISAJE SUBMARINO Y NUMEROSOS
LUGARES DE INMERSIÓN A LOS QUE SE PUEDE ACCEDER POR CUENTA PROPIA DESDE TIERRA.

Bonaire

Bonaire pertenece geográficamente a las Antillas Menores y políticamente a las Antillas Neerlandesas. Aporta la «B» a las islas ABC y, al igual que «C», Curazao, es una conocida y prestigiosa región de buceo. Rodeada por un arrecife de franja, está a unos 80 kilómetros de la costa venezolana y, siendo una de las Islas de Sotavento, no está sometida a las influencias de la temporada ciclónica.

Con forma de bumerán, la sobria isla de piedra caliza mide 39 kilómetros de largo y entre cinco y 11 kilómetros de ancho. En su parte más elevada, a 240 metros, se encuentra en el norte el Washington Slagbaai National Park, de más de seis hectáreas, con enormes cactus y 200 especies de aves. Otras atractivos son el Pekelmeer, con sus salinas y flamencos, el antiguo asentamiento de esclavos junto a Witte Pan y la isla de Klein Bonaire, cercana a la costa.

No obstante, los mayores tesoros de la isla están sumergidos. El primero en darse cuenta fue el explorador de los mares Hans Hass, que hablaba entusiasmado de este paraíso de buceo en sus libros cuando todavía no existía el buceo deportivo. Bonaire pasó a la ofensiva rápidamente y de forma ejemplar para proteger sus aguas, prohibiendo la venta de productos derivados de la tortuga, el arpón y la recolección de corales y conchas. Ya en 1979, el gobierno convirtió la costa en parque marino protegido hasta 60 metros de profundidad.

❖ **Profundidad:** 10-40 m

❖ **Visibilidad:** 15-55 m

❖ **Temperatura del agua:** 25-29 °C

❖ **Mejor época del año:** todo el año

❖ **Dificultad:** ■–■■■

❖ **Diversidad de corales:** ■■■■

❖ **Diversidad de peces:** ■■■■

❖ **Peces grandes:** ■■■

❖ **Pecios:** ■■

❖ **Cuevas:** ■

❖ **Paredes:** ■■■

❖ **Buceo con esnórquel:** ■■■

Actualmente hay muchos centros turísticos y bases que alquilan equipos de buceo. La particularidad de Bonaire es que, siguiendo las detalladas instrucciones y las reglas del parque, puede bucearse desde tierra en el maravilloso arrecife de franja de forma totalmente independiente y bajo responsabilidad propia. Los buceadores van en coche de alquiler a la parte occidental de sotavento y eligen el mejor punto de entrada para uno de los 60 lugares de inmersión (p. ej., 1000 Steps, Angel City, Bari Reef, …), indicados mediante rocas pintadas de amarillo en la calle de la costa.

Desde suaves pendientes hasta paredes verticales: tras pocos metros en las aguas turquesa, uno queda fascinado por paisajes tropicales submarinos con una flora y una fauna grandiosas, así como con algún que otro pecio. Diferentes peces, abanicos de mar rosa, corales blandos y diversas esponjas entusiasman a más de 50.000 turistas al año. Las bases organizan además excursiones en bote a Klein Bonaire, donde también hay muchos puntos de inmersión destacables.

Página contigua: Camarón en una anémona

Arriba: Sacogloso de vistosos colores en una esponja

Abajo: Un diminuto blénido observa curioso desde su refugio de coral

Roatán

LA ISLA PRINCIPAL DE LAS ISLAS DE LA BAHIA, SITUADA FRENTE A LA COSTA NORTE DE HONDURAS, ESTÁ RODEADA DE EXCELENTES LUGARES DE INMERSIÓN. EN ESTAS AGUAS HAY GRANDIOSOS PARAJES SUBMARINOS Y UNA INMENSA BIODIVERSIDAD DE PECES Y DELFINES.

Aunque Honduras, situada en el istmo centroamericano, atrae desde hace tiempo a buceadores americanos y conocedores del Caribe, la mayoría de la comunidad internacional de buceadores no presta mucha atención a islas como Guanaja, Barbareta, Utila, los cayos Cochinos o Roatán. No obstante, merece la pena viajar hasta allí, no sólo por la impresionante naturaleza virgen y las ruinas mayas en tierra firme, sino también por los fondos de buceo de estas islas cercanas a la costa.

Roatán ●

Situadas a unos 50 kilómetros de tierra firme, las islas de la Bahía o Bay Islands están sobre una cadena montañosa submarina en el segundo mayor arrecife de barrera del mundo.

Con 49 kilómetros de largo y sólo 5 de ancho, Roatán es la isla más grande.

Con muchos centros turísticos y bases, el turismo de buceo está bastante desarrollado. Suele bucearse «a la manera americana», en grupos grandes y de forma disciplinada, lo cual es a veces un problema para los buceadores individualistas. Es por ello que se recomienda informarse antes de cómo trabajan las bases. La zona de concentración turística está en el oeste de la isla; la parte sudeste es más tranquila. Se ofrecen, además, cruceros en torno a Roatán y las bonitas islas vecinas.

Los arrecifes de la parte norte tienen pendientes suaves hasta los 10 o 12 metros. Después descienden abruptos hasta profundidades de entre 30 y 40 metros.

84 FICHA

❖ **Profundidad:** 6-40 m

❖ **Visibilidad:** 15-40 m

❖ **Temperatura del agua:** 25-29 °C

❖ **Mejor época del año:** dic.-junio

❖ **Dificultad:** ■–■■■

❖ **Diversidad de corales:** ■■■■

❖ **Diversidad de peces:** ■■■■

❖ **Peces grandes:** ■■■

❖ **Pecios:** ■■■

❖ **Cuevas:** ■■■

❖ **Paredes:** ■■■■

❖ **Buceo con esnórquel:** ■■■
(en Anthony's Key Resort,
junto a los delfines: ■■■■■)

En la parte sur, las paredes empiezan a cinco metros y se precipitan hasta profundidades de entre 40 y 50 metros.

En French Harbour, en la costa sur, el pecio del *Prinz Albert* yace sobre un fondo arenoso a 20 metros de profundidad y tiene muchos escondrijos que suelen usar algunos peces. Cuando el bote fondea en Fishsoup, el agua empieza a borbotear por los peces que se acercan atraídos por la comida que les dan regularmente los guías. En Calvins Crack se producen maravillosos juegos de luces en una brecha del arrecife. En Church Wall hay fotogénicas gargantas, enormes gorgonias y esponjas. Uno de los lugares más hermosos es Mary's Place, con un imponente y heterogéneo paisaje con cañones. Herbie's Place, en el extremo sudoeste, y Herbie's Fantasy, en la parte oeste, también gozan de popularidad.

Anthony's Key Resort pertenece al buceador pionero de la isla y tiene cerca de dos docenas de puntos de inmersión destacables. Los cómodos bungalows sobre el agua están frente a un islote de la costa norte, donde un parque marino garantiza una buena ictiofauna. La especialidad del centro son los encuentros directos con delfines en la propia laguna y un punto de inmersión con tiburones grises.

Página contigua: Colorida
doncella mulata

Arriba: Risueño pez cofre

Abajo: Pareja de peces
ángel grises

Banco Chinchorro

CASI DESCONOCIDO E INTACTO, EL ATOLÓN CARIBEÑO DE BANCO CHINCHORRO ESTÁ SITUADO ENTRE LOS BASTIONES TURÍSTICOS DE COZUMEL Y BELICE. DESTACA POR TENER GIGANTESCAS ESPONJAS, UNA RICA VARIEDAD DE CORALES Y UN ENORME CEMENTERIO DE BARCOS.

Banco Chinchorro ●

Página contigua: Enorme esponja tubular

Arriba: En Banco Chinchorro todavía se encuentran cañones antiguos

Abajo: Buceador en La Chimenea

🅇🅕 FICHA

❖ **Profundidad:** 5-35 m

❖ **Visibilidad:** 10-35 m

❖ **Temperatura del agua:** 24-29 °C

❖ **Mejor época del año:** mayo-nov.

❖ **Dificultad:** ■–■■■

❖ **Diversidad de corales:** ■■■■

❖ **Diversidad de peces:** ■■■

❖ **Peces grandes:** ■■■

❖ **Pecios:** ■■■ (sólo se pueden visitar haciendo esnórquel)

❖ **Cuevas:** ■■

❖ **Paredes:** ■■

❖ **Buceo con esnórquel:** ■■■■

El atolón está frente a la península mexicana de Yucatán, a la altura de Costa Maya. Sólo se llega hasta allí en bote desde los pueblos pesqueros de Majahual y Xcala. Contrariamente a la tranquila localidad de Xcalak, en Majahual hay a veces mucho ambiente ya que, desde hace poco, recibe la visita temporal de grandes cruceros.

Banco Chinchorro, de 45 por 15 kilómetros de extensión, fue declarado reserva de la biosfera por la Unesco y área marina protegida por el gobierno mexicano. Para la mayoría de los buceadores es un territorio aún por explorar. Aquí sólo viven 200 pescadores en palafitos frente a la mayor de las tres islas de la laguna del atolón. Hay planes de prohibir totalmente la pesca en el futuro.

Un valle submarino de 1.000 metros de profundidad y 30 de ancho separa Banco Chinchorro de tierra firme. Las bases necesitan un permiso para ir a los arrecifes. Se ofrecen excursiones de un día con tres inmersiones; el mayor inconveniente suele ser el viaje en bote de dos horas a través de las agitadas aguas.

Al oeste hay más de una docena de excelentes puntos de inmersión protegidos. A veces se trata de pequeñas paredes y otras de pendientes arenosas de 45 grados en aguas claras. Campos de altas gorgonias y abanicos de mar alternan con todas las especies de esponjas del Caribe.

En Punta Isabel predominan los corales y las esponjas, y hay menos peces. En cambio, en Theresa uno se ve recompensado con curiosas cobias parecidas a tiburones, fusileros azules y diversos meros. También hay esponjas vasiformes amarillas de enormes dimensiones. A entre 25 y 30 metros de profundidad, Los Faros se muestra intacto y lleno de color con esponjas vasiformes púrpura, orejas de elefante naranja y enormes esponjas barril. A los meros y tiburones nodriza les encantan las corrientes de la punta sur de Tinas Reef, donde los pargos y los roncos se ocultan en pequeñas cuevas si hay peligro.

En Cuarenta Cañones yace un barco del siglo XVII a una profundidad de entre cuatro y ocho metros. Los numerosos cañones están tan cubiertos de corales que ya casi no se ven. En la agitada parte este del atolón hay más restos de numerosos barcos de entre el siglo XVI y el XX. Por razones arqueológicas, sólo pueden visitarse haciendo esnórquel. En La Chimenea, directamente en el arrecife ubicado frente a Xcalak, es posible bucear en cuevas y grietas. En La Poza se ven cientos de tarpones en verano.

Belice

BELICE ES UNO DE LOS DESTINOS DE BUCEO MÁS VISITADOS DEL CARIBE. LOS SUBMARINISTAS DISPONEN DE IMPRESIONANTES PUNTOS DE INMERSIÓN Y UNA AMPLIA VARIEDAD DE PECES EN EL SEGUNDO ARREFICE DE BARRERA MÁS GRANDE DEL MUNDO Y EN TRES ATOLONES.

Belice

Situado al sur de México y al este de Guatemala, el pequeño estado centroamericano es independiente desde 1981. Las selvas vírgenes con singulares animales y plantas, los templos mayas, las idílicas playas de arena, las islas solitarias y los arrecifes de coral convierten el país en un destino de interés no sólo para los buceadores.

Hay dos regiones de buceo. La primera es el Sistema de Reservas de la Barrera del Arrecife de Belice. Con unos 300 kilómetros de largo, es el mayor arrecife de coral del hemisferio norte y el segundo del mundo. La segunda abarca tres atolones más al este.

El Sistema de Reservas de la Barrera del Arrecife de Belice alberga varios parques naciones y marinos y fue declarado Patrimonio de la Humanidad por la Unesco. Incluye islas y bancos de arena poco extensos llamados «cayos». La mayoría de los más pequeños están deshabitados y en otros hay centros turísticos. Enumeradas de norte a sur, algunas de las islas y zonas de buceo más conocidas son Ambergris Caye, Hol Chan Marinereservat, Caulkner Caye, Long Caye, Alligator Caye, Tobacco Caye, Queens Caye o Hunting Caye. Son accesibles diariamente desde los centros de buceo.

Más al este hay tres atolones separados en el mar Caribe: Atolón de Turneffe, Glover's Reef y Lighthouse Reef. Éste último está sobre una dorsal submarina diferente a la de los otros dos. Entre ambas dorsales hay mucha profundidad y es posible ver peces grandes.

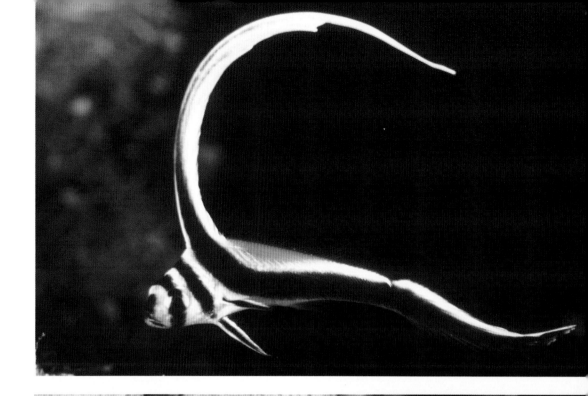

86 FICHA

- ❖ **Profundidad:** 5-40 m
- ❖ **Visibilidad:** 15-50 m
- ❖ **Temperatura del agua:** 24-29 °C
- ❖ **Mejor época del año:** nov.-mayo
- ❖ **Dificultad:** ■–■■■
- ❖ **Diversidad de corales:** ■■■■
- ❖ **Diversidad de peces:** ■■■■
- ❖ **Peces grandes:** ■■■
- ❖ **Pecios:** ■■
- ❖ **Cuevas:** ■■■■
- ❖ **Paredes:** ■■■■■
- ❖ **Buceo con esnórquel:** ■■■■■

Los corales duros y las gorgonias crecen por todos lados en paredes, entre cañones y en suaves pendientes. Más de 400 especies de peces pululan por estas aguas, desde pequeños meros hasta grandes tiburones. Diferentes babosas, moluscos bivalvos, crustáceos y muchas esponjas convierten los arrecifes en un destino muy apreciado por los buceadores.

Lighthouse Reef es el arrecife más hermoso sobre y bajo el agua. Uno de los puntos más atractivos es el conocido Blue Hole (véase lugar de buceo n.º 87). No lejos del paraíso ornitológico de Half Moon Caye hay otros puntos de inmersión con fantásticos jardines de coral y una rica ictiofauna.

Aunque hay excursiones de un día o dos, el que desee bucear en los mejores lugares de los atolones más cómodamente y con más tiempo, debería optar por un viaje de una semana en *liveaboard*. Son ofrecidos por varios operadores y se inician en el puerto de Ciudad de Belice. Siguiendo el patrón americano, se hacen hasta cinco inmersiones al día, de modo que, haciendo las pausas necesarias, uno puede permanecer en el agua desde el alba hasta la puesta del sol.

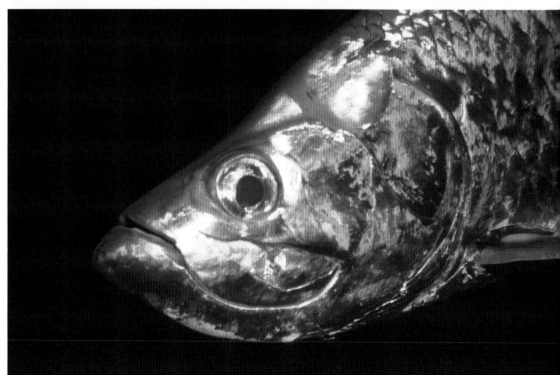

Página contigua: ¡Al agua!

Arriba: Obispo coronado de curiosa figura

Centro: El pez vaca añil pertenece a la familia de los serránidos

Abajo: Tarpón de brillo plateado

Blue Hole

BUCEAR EN ESTE AGUJERO PROFUNDO CON LARGAS ESTALACTITAS ES UNA EXPERIENCIA SUPREMA, ADRENALINA PURA. EL BLUE HOLE, SITUADO EN LIGHTHOUSE REEF FRENTE A LA COSTA DE BELICE, ES UN LUGAR LEGENDARIO QUE YA GOZA DE LA CONDICIÓN DE CULTO.

Blue Hole

El Blue Hole es para los americanos lo que Ras Mohammed para los europeos. Si se bucea en Belice, el «agujero azul» está siempre incluido en el programa. La expedición de Jacques Cousteau en 1972 y su posterior película dieron fama a las profundidades azules de este lugar.

Tras atravesar el laberinto arrecifal, se fondea a unos 100 metros del lugar, se hace esnórquel hasta el borde y se desciende lentamente ocho metros. A continuación las paredes casi desnudas se precipitan verticales hacia el fondo. A partir de 30 metros el agua se vuelve más clara y se ven las primeras estalactitas bajo los salientes. El paisaje se vuelve realmente imponente a partir de 45 metros, donde cuelgan pilares calcáreos de entre seis y siete metros de largo y un metro de grosor.

Este cráter de agua mide 400 metros de diámetro y unos 140 de profundidad. Se formó hace millones de años al hundirse el techo de una gran caverna en medio del sistema de cuevas subterráneo, que antes estaba lleno de aire. La causa fue probablemente un terremoto.

La emoción es lo que atrae a los buceadores al Blue Hole. A veces se pierde en este místico lugar un tiburón, una tortuga o un banco de caballas.

Izquierda: El Blue Hole a vista de pájaro

Derecha: Gigantesca estalactita en el Blue Hole de Belice

 FICHA

❖ **Profundidad:** 3-50 m

❖ **Visibilidad:** 15-40 m

❖ **Temperatura del agua:** 24-29 °C

❖ **Mejor época del año:** nov.-mayo

❖ **Dificultad:** ■■■–■■■■■

❖ **Diversidad de corales:** ■

❖ **Diversidad de peces:** ■

❖ **Peces grandes:** ■

❖ **Pecios:** –

❖ **Cuevas:** ■■■■■

❖ **Paredes:** ■■■■■

❖ **Buceo con esnórquel:** ■■

MAR CARIBE: EE.UU.

Cayos de la Florida

LA CADENA INSULAR SITUADA EN EL SUR DE FLORIDA ES LA MECA AMERICANA DEL SUBMARINISMO. ADEMÁS DE INTERESANTES PARQUES MARINOS, AQUÍ HAY ARRECIFES Y PECIOS CON UNA RICA BIODIVERSIDAD EN LOS QUE ES FÁCIL BUCEAR.

● Cayos de la Florida

L a Ruta Estatal 1 une esta cadena insular de unos 200 kilómetros de largo situada entre el golfo de México y el mar Caribe. Frente a las islas se extienden los únicos arrecifes de coral de EE.UU., por lo que las excursiones, perfectamente organizadas, atraen a muchos buceadores. Lo normal aquí es hacer dos inmersiones por viaje en bote.

Los puntos de inmersión y las bases de buceo se concentran de norte a sur en las islas Key Largo, Islamorada, Marathon y los Lower Keys, incluyendo Key West. Siempre se bucea en la parte del Caribe, donde, a unos ocho kilómetros de las islas, comienzan los arrecifes.

Con 40 lugares de inmersión, la zona de buceo más concurrida es el John Pennekamp Coral State Park, situado frente a Key Largo. El lugar más conocido es donde yace una estatua de Cristo realizada en bronce, de tres metros de altura, réplica de la estatua de Génova.

En muchos lugares hay pecios, peces de vistosos colores, enormes barracudas y meros, así como jardines de coral cuerno de alce y coral cerebro.

Arriba izquierda: Ojos del caracol lambis lambis

Arriba derecha: Mero moteado

Abajo: Elegante pez ballesta reina

88 FICHA

❖ **Profundidad:** 5-35 m

❖ **Visibilidad:** 10-35 m

❖ **Temperatura del agua:** 20-32 °C

❖ **Mejor época del año:** oct.-mayo

❖ **Dificultad:** ■-■■■

❖ **Diversidad de corales:** ■■■

❖ **Diversidad de peces:** ■■■■

❖ **Peces grandes:** ■■■

❖ **Pecios:** ■■■■

❖ **Cuevas:** ■■

❖ **Paredes:** ■

❖ **Buceo con esnórquel:** ■■■

Bahamas

LAS CONDICIONES Y LA OFERTA PARA BUCEADORES EN LAS BAHAMAS SON CASI PERFECTAS:
AGUAS CÁLIDAS Y CRISTALINAS, RICA DIVERSIDAD DE PECES Y CORALES, CUEVAS, PECIOS,
AVISTAMIENTOS DE TIBURONES Y DELFINES, ASÍ COMO MAGNÍFICAS INFRAESTRUCTURAS.

Bahamas ●

Con más de 700 islas y muchos cayos pequeños, el archipiélago se extiende a lo largo de casi 900 kilómetros desde la costa oriental de Florida hasta el nordeste de Cuba. El país estuvo gobernado por Inglaterra hasta 1973. Desde entonces es un estado soberano miembro de la Mancomunidad de Naciones.

Colón llamó a las islas «Baja Mar». Sin embargo, las escasas profundidades sólo son propias de la zona más clara y tranquila del Caribe, que suele compararse con un gigantesco acuario. Las aguas atlánticas son más agitadas y profundas, por lo que prometen más peces grandes.

Sólo 30 islas de las Bahamas están habitadas. Nueva Providencia y Gran Bahama son las más grandes y tienen aeropuerto internacional. Algunas islas reunidas bajo el nombre de Out Islands tienen aeropuertos más pequeños. Según datos oficiales, en las Bahamas hay más de 30 destinos de buceo con más de 1.000 puntos de inmersión. Las bases, los centros turísticos y los *liveaboards* están a la altura de exigentes criterios internacionales de calidad.

Es fácil explicar por qué este entorno atrae a entusiastas de todo el mundo desde los inicios del turismo de buceo. Además de que las aguas son cálidas y claras, hay frondosos paisajes submarinos de gran hermosura, que pueden disfrutarse tanto a poca profundidad como en abruptas paredes. Además hay sistemas de cuevas, profundos agujeros azules y atractivos pecios.

❖ **Profundidad:** 5-40 m

❖ **Visibilidad:** 15-50 m

❖ **Temperatura del agua:** 24-29 °C

❖ **Mejor época del año:** nov.-junio

❖ **Dificultad:** ■-■■■

❖ **Diversidad de corales:** ■■■■

❖ **Diversidad de peces:** ■■■■

❖ **Peces grandes:** ■■■■■

❖ **Pecios:** ■■■■

❖ **Cuevas:** ■■■■■

❖ **Paredes:** ■■■■■

❖ **Buceo con esnórquel:** ■■■■

Usados en el pasado por los piratas como escondrijo, los 2.000 arrecifes y bancos de arena son ahora un paraíso para los buscadores de tesoros. Todavía hoy, algunas empresas dedicadas a la explotación de pecios buscan antiguas galeras y sus valiosas cargas.

La mundialmente conocida base Stuart Cove's de Nueva Providencia ofrece diversas aventuras; aquí se puede bucear con *scooter*, salir en minisubmarinos, dar de comer a tiburones bajo estrictas medidas de seguridad y visitar famosos pecios.

Las atracciones más espectaculares de Gran Bahama son desde hace tiempo los curiosos delfines y los imponentes tiburones grises del proyecto UNEXSO. Las acrobáticas coreografías de los animales tienen un gran éxito de público. Además se ofrecen excursiones en las que se pueden observar de cerca tiburones tigre, limón y toro. Hay detractores y partidarios de estos espectáculos. Los primeros son críticos y pronostican accidentes. Los otros piensan que las inmersiones y las películas cambian la imagen que la mayoría de la gente tiene de estos elegantes predadores, enseñándole que el hombre es el verdadero peligro y que el tiburón no es ningún monstruo sanguinario.

Página contigua: Codo a codo con un delfín

Arriba: Colorido pez ángel real

Abajo: Tiburones grises frente a las costas de Gran Bahama

Islas Turcas y Caicos

ESTE ESTADO COMPUESTO DE DOS ISLAS SE ENCUENTRA ENTRE EL ATLÁNTICO Y EL CARIBE.
AQUÍ SE PUEDE HACER ESNÓRQUEL CON BALLENAS JOROBADAS DESDE ENERO HASTA MARZO.
TODO EL AÑO HAY PECES GRANDES Y SOBRE TODO MUCHO SOL.

Islas Turcas y Caicos

El estado insular está al norte de la República Dominicana y al sudeste de Bahamas. Tiene más de 40 islas y cayos, pero menos de una cuarta parte está habitada. Estuvieron bajo soberanía española, francesa y británica. Una vez pertenecieron a Bahamas y durante mucho tiempo a Jamaica. Los intentos de independencia han fracasado hasta hoy. Ahora son un territorio británico de ultramar y utilizan el dólar americano.

El turismo está en auge y es la mayor fuente de ingresos. Cada vez hay más vuelos desde EE. UU. La estrategia turística se basa en el buen tiempo constante, las blancas playas de arena fina y los aires del Caribe genuino. Los buceadores vienen atraídos por el ilimitado azul del mar y los peces grandes. Entre enero y marzo pasan ballenas jorobadas que vienen del Ártico y van a los Silverbanks o Mouchoir Banks para engendrar. En pocos lugares del mundo se puede hacer esnórquel con los gigantes.

A casi todos los puntos de inmersión del archipiélago se puede llegar con botes de las bases o con cruceros durante viajes de una semana. La mayoría están junto a las paredes situadas frente a las zonas protegidas de las islas. Los mejores están en el Northwest Point Marine Park, ubicado frente a la isla occidental de Providenciales, en el West Caicos

National Park y junto a las islas de Caicos del Sur y Cayo Francés. Los arrecifes de Gran Turca o Cayo Sal reciben menos visitantes.

En el Northwest Point Marine Park pueden hacerse excelentes inmersiones en la pared de un arrecife de más de cinco kilómetros de largo. En Thunderdome hay una semiesfera con un enrejado de acero que fue construida para un programa televisivo francés. En Black Coral Forest sobresalen corales negros de la pared. En Crack viven anémonas y esponjas.

La mayoría de los puntos de inmersión de Caicos del Oeste están en un parque marino de 10 kilómetros. Un ejército de jureles recibe a los visitantes en Rock Garden Interlude y tiburones grises deambulan en White Face y Highway to Heaven. En Land of the Giants crecen todo tipo de esponjas, aunque pueden verse más en Tons of Sponge.

Los puntos de inmersión más espectaculares están en Cayo Francés, 24 kilómetros al sudeste de Caicos del Oeste. Los tiburones nodriza engendran a sus crías aquí en verano. En G-Spot hay corales negros y tiburones y en Double D se contemplan águilas marinas. Rara vez se visita West Sand Spit, un jardín de coral virgen situado al sur con bancos de bremas amarillas, peces ángel de vistosos colores, grandes chernas criollas y pequeños tiburones.

Página contigua: Colonia de ascidias entre corales negros

Abajo izquierda: Gigantesca esponja vasiforme

Abajo derecha: Mirada a través del enrejado de acero cubierto de esponjas de Thunderdom

90 FICHA

❖ **Profundidad:** 3-40 m

❖ **Visibilidad:** 15-40 m

❖ **Temperatura del agua:** 24-30 °C

❖ **Mejor época del año:** nov.-junio

❖ **Dificultad:** ■–■■■

❖ **Diversidad de corales:** ■■■

❖ **Diversidad de peces:** ■■■■

❖ **Peces grandes:** ■■■■■

❖ **Pecios:** ■■

❖ **Cuevas:** ■■■

❖ **Paredes:** ■■■■■

❖ **Buceo con esnórquel:** ■■■■

Sudoeste de Cuba

LA COSTA SEPTENTRIONAL DE CUBA LIMITA CON EL OCÉANO ATLÁNTICO Y LA COSTA MERIDIONAL
CON EL MAR CARIBE. EN TORNO A LA ISLA HAY INTERESANTES REGIONES DE BUCEO.
DESTACA LA ZONA SUDOESTE, DONDE EL CARIBE MUESTRA SU MEJOR CARA BAJO EL AGUA.

Con 5.800 kilómetros de franja costera y casi 300 playas, Cuba es la mayor isla del Caribe. Aunque sólo dista 140 kilómetros de EE.UU. y 210 de México, Cuba es un país particular. A pesar de ser un lugar fascinante y tener los mejores puntos de inmersión del Caribe, el sistema económico centralizado vigente no promociona mucho el turismo de buceo, por lo que, contrariamente a lo que ocurre en otros destinos, el sector tiene poco desarrollo.

Las mejores regiones de buceo están en dirección a la depresión de Yucatán y la dorsal de las islas Caimán. Se sitúan en torno al extremo oeste de Cuba, junto a Cabo San Antonio y María la Gorda, alrededor de las ínsulas del archipiélago de los Canarreos Cayo Largo e Isla de la Juventud, y en la zona del grupo insular de Jardines de la Reina (véase lugar de buceo n.º 92).

María la Gorda está en la península occidental de Guanahacabibes, en medio de un gran parque nacional y una reserva de la biosfera de la Unesco. Con un mundo submarino intacto, los puntos de inmersión son de los mejores de Cuba. Hay diversas cuevas y se ven restos de galeras hundidas, anclas y cañones en algunos arrecifes.

Hay mucho territorio submarino virgen en el punto más occidental de la isla, el Cabo San Antonio. Los lugares de inmersión se encuentran en la zona de abundantes corrientes del Canal de Yucatán y prometen espectaculares inmersiones a la deriva en abruptas pendientes, agujeros profundos y moradores marinos grandes.

Cayo Largo es la isla más al este del archipiélago de los Canarreos y ha rendido ya todos los honores al submarinismo. Hay 40 puntos de inmersión frente a esta antigua isla de contrabandistas de 27 kilómetros de largo. En dos de ellos, llamados Acuario, se contemplan constantemente roncos, pargos, barracudas, meros, morenas, rayas, tarpones, tiburones, langostas, peces ángel y tortugas. También se ven peces caribeños de todo tipo junto a la Isla de la Juventud, a unos 150 kilómetros más al oeste. Robert Louis Stevenson se inspiró en la isla más grande próxima a Cuba para su novela *La isla del tesoro*. Desde la Marina Colony se llega en una hora y media a puntos de inmersión supremos, con cañones, grutas y laberintos. Frente a las frondosas paredes siempre hay posibilidad de toparse con peces grandes. La zona se convirtió en reserva natural marina en 1980.

Página contigua: Mero curioso inspecciona a un submarinista

Arriba: Buceando en el Salón de María la Gorda

Abajo: Pez ángel de cara azul joven limpiando un ronco

91 FICHA

❖ **Profundidad:** 3-40 m

❖ **Visibilidad:** 10-50 m

❖ **Temperatura del agua:** 24-30 °C

❖ **Mejor época del año:** nov.-junio

❖ **Dificultad:** ■–■ ■ ■

❖ **Diversidad de corales:** ■ ■ ■ ■ ■

❖ **Diversidad de peces:** ■ ■ ■ ■ ■

❖ **Peces grandes:** ■ ■ ■ ■ ■

❖ **Pecios:** ■ ■ ■

❖ **Cuevas:** ■ ■ ■ ■

❖ **Paredes:** ■ ■ ■ ■ ■

❖ **Buceo con esnórquel:** ■ ■ ■ ■

Jardines de la Reina

EL ARCHIPIÉLAGO SITUADO FRENTE A LA COSTA MERIDIONAL DE CUBA FUE BAUTIZADO POR CRISTÓBAL COLÓN. EL TERRITORIO CUENTA CON UNAS 600 ISLAS DE CORAL Y ES CONSIDERADO COMO LA MEJOR REGIÓN DE BUCEO DE CUBA.

Jardines de la Reina

Como navegante al servicio de España, Cristóbal Colón fue el primero en llegar al paraíso insular, donde pronto se dio cuenta de la riqueza de la flora y la fauna. En honor a la reina Isabel, llamó al archipiélago «Jardines de la Reina».

Con unos 2.200 kilómetros cuadrados, el Parque Nacional Jardines de la Reina es hoy una de las reservas naturales más grandes de Cuba. El esplendor natural del entorno fascina no sólo en tierra sino también bajo el agua, por lo que se decidió convertir un territorio de 160 por 36 kilómetros en parque marino. La población submarina crece continuamente desde que en 1996 se prohibió la pesca comercial. Muchos hablan del «paraíso de los peces grandes» caribeño por la abundancia de especies de tiburones, meros, barracudas, tarpones y bancos de peces.

El número de buceadores está limitado a 400 al año. El único centro de buceo del paraíso submarino es un hotel flotante situado entre manglares con base de buceo y espacio para 14 clientes. Para llegar aquí, se zarpa en bote desde la ciudad de Júcaro, en Cuba, y se atraviesa el golfo de Ana María. El viaje de 90 kilómetros dura más de tres horas. Tres barcos de safari también se dirigen actualmente a la conocida zona de buceo.

Marcados con boyas, los 50 puntos de inmersión registrados están en un territorio de 70 kilómetros de largo. Tras anclar el barco en Pippin, los buceadores son recibidos por unas dos docenas de tiburones sedosos sedentarios. Al saltar al agua, se pide precaución para no chocar con los fascinantes predadores. Una vez fueron atraídos con cebos por motivos científicos, ya que se debían cazar algunos de ellos sin herirlos para trasladarlos a otro lugar. En aquella ocasión, los encargados de cazar los tiburones descubrieron zonas en sus cuerpos que los paralizaban por unos instantes, lo que se denomina parálisis o inmovilidad tónica. Los guías juegan ahora de vez en cuando con ellos como si fuesen perros adiestrados, algo totalmente prohibido para los buceadores.

Un par de metros más al fondo viven inmensos meros y en los cañones acechan espléndidos tarpones y barracudas. Gruesos tiburones de arrecife sitian un lugar llamado Black Coral. La Cana es un maravilloso jardín de coral lleno de peces que parece sacado de un álbum ilustrado. Los meros de hasta 200 kilos que viven en la Meseta de los Meros no tienen miedo de los buceadores. Por todos lados se ven grandes tortugas, mansos lagartos y, esporádicamente, algún cocodrilo.

Página contigua: El domador de tiburones deja en trance al escualo

Abajo: Los meros gigantes de la Meseta de los Meros no tienen ningún miedo de los buceadores

92 FICHA

- ❖ **Profundidad:** 3-40 m
- ❖ **Visibilidad:** 20-50 m
- ❖ **Temperatura del agua:** 24-30 °C
- ❖ **Mejor época del año:** nov.-junio
- ❖ **Dificultad:** ■–■■■
- ❖ **Diversidad de corales:** ■■■■■
- ❖ **Diversidad de peces:** ■■■■■
- ❖ **Peces grandes:** ■■■■■
- ❖ **Pecios:** ■■■
- ❖ **Cuevas:** ■■■■
- ❖ **Paredes:** ■■■■■
- ❖ **Buceo con esnórquel:** ■■■

Islas Caimán

ADEMÁS DEL QUINTO CENTRO FINANCIERO MÁS GRANDE DEL MUNDO, EN MEDIO DEL CARIBE SE ENCUENTRA UNA DE LAS ZONAS DE BUCEO MÁS HERMOSAS DEL MAR HOMÓNIMO, CON PECIOS, PAREDES, ARRECIFES DE SUAVES PENDIENTES, CAÑONES Y AMIGABLES PASTINACAS.

Islas Caimán ●

Colón descubrió las islas para el Nuevo Mundo y las bautizó como las «Las Tortugas» por la abundancia de estos animales. Los indios las llamaron más tarde «Las Caymanas» por los reptiles. Ávidas de las riquezas de los pueblos saqueados de Centroamérica, las potencias europeas libraron aquí terribles batallas navales. Los rumores sobre los tesoros del capitán pirata Barbanegra perduran hasta hoy.

Los hilos del mundo financiero internacional se cruzan hoy en este estado de tres islas situado al sur de Cuba y al norte de Jamaica. No es de extrañar, ya que este territorio británico de ultramar es hoy un paraíso fiscal. Sin embargo, la verdadera riqueza de las islas está en sus aguas.

Aquí se puede nadar, hacer windsurf, practicar vela, pescar y bucear a las mil maravillas, aunque no es precisamente económico.

Como indica el nombre, Gran Caimán es la isla más grande. Se la considera uno de los lugares de nacimiento del buceo con escafandra y ofrece la opción de bucear desde tierra o tras desplazamientos en bote.

Frente a la concurrida Seven Mile Beach, en West End, hay conocidos puntos de inmersión. La zona está al norte de George Town, la capital. Aquarium y Bonnie's Arch o los pecios *Balboa Wreck* y *Oro Verde Wreck* no entrañan dificultad y su nombre lo dice todo. Los buceadores con experiencia disponen de diversas paredes en la parte oeste. Hay varios jardines de corales relativamente poco profundos frente a la costa sur,

FICHA

❖ **Profundidad:** 4-40 m

❖ **Visibilidad:** 15-40 m

❖ **Temperatura del agua:** 26-30 °C

❖ **Mejor época del año:** nov.-junio

❖ **Dificultad:** ■–■■■

❖ **Diversidad de corales:** ■■■■

❖ **Diversidad de peces:** ■■■■■

❖ **Peces grandes:** ■■■■

❖ **Pecios:** ■■■■

❖ **Cuevas:** ■■■

❖ **Paredes:** ■■■■■

❖ **Buceo con esnórquel:** ■■■■

como Tarpon Alley, South Sound Garden o Red Bay Gardens.

Al norte y al este hay varias docenas de lugares, pero no están directamente cerca de las bases. Además hay que considerar que este segmento de costa está desprotegido y expuesto a las olas. Junto a la Granja de las Tortugas, situada en el noroeste, los puntos de inmersión más conocidos se llaman Mini Wall, North Sound Reef, Grand Canyon, North Wall y East Side Reefs.

Stingray City, situado en la bahía protegida de North Sound, tiene fama mundial. Aquí se reúnen desde tiempo unas 200 pastinacas en diversos sitios a las que se les puede dar de comer con la mano. Los animales están acostumbrados al hombre pero se recomienda precaución.

Todo se vuelve más apacible en las islas vecinas. Bloody Bay Wall, frente a la costa oeste de Pequeño Caimán, ofrece inmersiones de primera con grandes esponjas, corales, meros, y tortugas. Se puede bucear en un buque de guerra ruso, algo totalmente insólito al oeste del mundo. El pecio de 101 metros de eslora fue hundido en 1996 tras comprárselo a los cubanos.

Página contigua: En medio de un banco de barrenderos en una cueva

Arriba: Imponente coral cuerno de alce

Abajo: Las barracudas son los guardianes del arrecife

El agua dulce, la base de nuestra vida, constituye sólo una pequeñísima parte del volumen de agua de la Tierra. Quizá por eso no recibe mucha atención por parte de los buceadores. Sin embargo, hay grandiosos puntos de inmersión en idílicos lagos de montaña, cristalinos manantiales, espectaculares cuevas, lagunas llenas de peces y fabulosos ríos o arroyos. Quien se aventura a descubrir el encanto de las aguas dulces, queda totalmente fascinado.

AGUAS DULCES

Crystal River

LOS MANATÍES, TAMBIÉN CONOCIDOS COMO VACAS MARINAS, OCUPAN EN INVIERNO LAS AGUAS DE KINGS BAY SITUADAS FRENTE A CRYSTAL RIVER. LOS BUCEADORES NO PUEDEN TENER UN CONTACTO TAN ESTRECHO CON UN ANIMAL MARINO EN NINGÚN OTRO LUGAR.

● Crystal River

La localidad de Crystal River, situada en la costa de Florida, está a casi dos horas de viaje en coche desde Orlando. El río homónimo nace en la bahía de Kings Bay. Las fuentes calientes se encargan de que la temperatura del agua se mantenga constante entre 22 y 26 grados centígrados durante todo el año. Por eso, cuando el golfo de México se enfría, muchas vacas marinas visitan las aguas calientes de la zona para pasar el invierno.

En Florida hay más de 20 ríos y manantiales a los que se retiran estos vegetarianos de sangre caliente. La bahía junto a Crystal River es el único territorio donde se pueden ver en directo haciendo esnórquel. Estos plácidos sirénidos de hasta 600 kilogramos no sólo disfrutan de las temperaturas de esta reserva natural, sino también de la zostera y la hierba marina del lugar. Según el peso corporal, llegan a ingerir unos 100 kilogramos al día.

Los sirénidos son una atracción y algunos establecimientos de Crystal River ofrecen excursiones para verlos haciendo esnórquel. También se puede alquilar un bote e ir por cuenta propia, pero no es fácil localizar a los animales ya que la bahía tiene muchas ramificaciones. Cuánto más frío haga fuera, más posibilidades hay de encontrarse con los manatíes.

Quien desee contemplar bien a estos pacíficos gigantes de pequeños ojos redondos, debe partir al alba. Los tranquilos animales están muy solicitados y si hay mucho ajetreo, se retiran a las zonas de protección marcadas. Unos guardas especiales vigilan que nadie penetre en estas zonas. El que lo haga, debe resignarse a fuertes sanciones económicas. Normalmente, los «elefantes de los mares» no muestran ninguna timidez, sino todo lo contrario: suelen buscar el contacto con el hombre, una experiencia realmente fantástica.

La población mundial se estima en unos 3.000 ejemplares y 350 de ellos pasan el invierno en Kings Bay. Los animales no tienen enemigos naturales. Puesto que deben salir a la superficie para tomar aire, el mayor peligro que corren son las colisiones con los botes y las lesiones que pueden provocarles las hélices. En EE. UU. están protegidos desde 1967 y varias organizaciones trabajan en el desarrollo de minuciosos programas de conservación.

Sólo se bucea con los manatíes por la mañana. Después, uno puede sumergirse en uno de los ríos más claros del mundo, el Rainbow River, que ofrece una visibilidad de hasta 60 metros y se ubica en la cercana localidad de Dunnellon.

Página contigua, arriba: Amor entre vacas marinas en Crystal River

Página contigua, abajo: Tranquila pareja de manatíes

Abajo: Esnórquel en el cristalino Rainbow River

94 FICHA

❖ **Profundidad:** 1-5 m (con las vacas marinas sólo se permite hacer esnórquel)

❖ **Visibilidad:** 3-40 m

❖ **Temperatura del agua:** 22 °C (invierno)

❖ **Mejor época del año:** nov.-marzo

❖ **Dificultad:** ■

❖ **Diversidad de corales:** –

❖ **Diversidad de peces:** ■■

❖ **Peces grandes:** ■

❖ **Pecios:** –

❖ **Cuevas:** ■■ (en el manantial de Kings)

❖ **Paredes:** –

❖ **Buceo con esnórquel:** ■■■■

Ginnie Springs

EN GINNIE SPRINGS SE ENCUENTRAN VARIOS DE LOS MANANTIALES DEL CENTRO Y NORTE DE FLORIDA. SON UN CONOCIDO DESTINO DESDE HACE TIEMPO YA QUE SUS AGUAS CALIENTES SON IDEALES PARA PRACTICAR ESNÓRQUEL, BUCEAR E INCLUSO SUMERGIRSE EN CUEVAS.

Ginnie Springs

El centro y norte de Florida están plagados de manantiales, ríos, charcas y lagos. Florida estaba sumergida hace millones de años hasta que el nivel del mar descendió y se formó tierra firme. El territorio está muy poco elevado sobre el nivel del mar y el nivel freático suele situarse muy cerca de la superficie. El subsuelo del terreno kárstico se compone de caliza y en muchas cuevas hundidas se acumula agua en dolinas (*sink holes*). Hay muchos manantiales, de los que brota agua subterránea filtrada a mucha presión.

Ginnie Springs, situado en High Springs, es un conocido paraíso para el buceo. En una zona de recreo se ubica un extenso *camping* y una base de buceo con una tienda. Siete manantiales en 8.000 áreas suministran diariamente millones de litros de agua clara y caliente a una temperatura constante de 22 grados centígrados. Los buceadores deben respetar importantes reglas de comportamiento.

La dolina de *Ginnie Springs* tiene 30 metros de diámetro y 5 de profundidad. La hermosa orilla está cubierta de todo tipo de plantas y esporádicamente se ven tortugas, anguilas, dipnoos y crustáceos. Por todos lados aletean coloridos peces sol. Una entrada en el fondo del manantial lleva a la principal atracción, la gran cueva. Es ideal para los expertos y para los buceadores de cuevas principiantes. En la parte superior penetra algo de luz. En Ball Room alcanza una profundidad máxima de 15 metros. El túnel que sigue hacia las profundidades está enrejado por razones de seguridad.

❖ **Profundidad:** 1-15 m

❖ **Visibilidad:** 7 m en el río, más de 40 m en los manantiales

❖ **Temperatura del agua:** 22 °C

❖ **Mejor época del año:** todo el año

❖ **Dificultad:** ■–■■■

❖ **Diversidad de corales:** –

❖ **Diversidad de peces:** ■■■

❖ **Peces grandes:** ■

❖ **Pecios:** –

❖ **Cuevas:** ■■■■■

❖ **Paredes:** –

❖ **Buceo con esnórquel:** ■■■■■

La laguna del manantial tiene una salida de 45 metros de largo que llega hasta el Santa Fe River. En la desembocadura se forman fotogénicas atmósferas debido a la mezcla de las claras aguas del manantial con las amarillentas aguas fluviales, así como a la presencia de imponentes y acechantes catanes.

Los manantiales y grutas de Devils Ear y Devils Eye sólo pueden ser visitados por buceadores de cuevas con licencia. Las inmersiones fluviales desde la desembocadura del manantial hasta Ginnie Springs son muy interesantes. Los buceadores buscan dientes de tiburón fosilizados en el fondo del río. Juli Spring, Deer Spring y Twin Spring son otros manantiales de la zona, que todos comparan con un gigantesco acuario.

Ichetucknee River, no lejos de allí, es ideal para hacer esnórquel. Con suerte, puede verse incluso algún caimán entre los numerosos peces.

Página contigua: Catán fotografiado al atardecer en Santa Fe River

Arriba: Las encantadores aguas del manantial de Ginnie Springs

Abajo: Buceadores frente a la entrada del sistema de cuevas de Devils Eye

Cenotes de Yucatán

BAJO LA PENÍNSULA MEXICANA DE YUCATÁN SE ENCUENTRA UN ENORME E INSÓLITO LABERINTO DE AGUA. A TRAVÉS DE LOS CENOTES SE LLEGA A FASCINANTES GRUTAS, CUEVAS Y RÍOS SUBTERRÁNEOS.

Cenotes de Yucatán

Página contigua: Entrada al «Temple of Doom» (el templo del diablo)

Arriba: Tibia y otros huesos de mastodonte de unos 12.000 años de antigüedad

Centro: La zona de entrada al Gran Cenote también es ideal para hacer esnórquel

Abajo: Dolina y entrada de la cueva de Dos Ojos

96 FICHA

❖ **Profundidad:** 1-16 m
   (Cenote Angelita: 60 m)

❖ **Visibilidad:** 20-80 m

❖ **Temperatura del agua:** 23-26 °C

❖ **Mejor época del año:** dic.-mayo

❖ **Dificultad:** ■–■■■■■

❖ **Diversidad de corales:** –

❖ **Diversidad de peces:** ■■■

❖ **Peces grandes:** –

❖ **Pecios:** –

❖ **Cuevas:** ■■■■■

❖ **Paredes:** –

❖ **Buceo con esnórquel:** ■■■■■

Los mayas dieron el nombre de cenotes a las cámaras subterráneas llenas de agua dulce de las que obtenían el agua potable. Para ellos eran entradas al submundo y, por eso, lugares sagrados y de sacrificio. Las cuevas se formaron hace unos 1,5 millones de años, después de que, en la edad de hielo, las masas polares aumentaran, el nivel del mar bajara y los arrecifes construidos por diminutos pólipos de coral quedaran descubiertos. Debido a la lluvia y los movimientos de tierras, el arrecife calcáreo se fue ahuecando gradualmente y en las cámaras de las cuevas fueron surgiendo insólitas formas gota a gota. Cuando las masas polares se derritieron, muchos territorios se inundaron. El laberinto de Yucatán está desde entonces bajo el agua. En todas partes se ven hoy agujeros de los techos hundidos de cuevas kársticas, pozos, estanques, charcas, lagos o lagunas: los cenotes.

Muchos cenotes están comunicados por galerías subterráneas. En enero de 2007, los investigadores de las cuevas hallaron nuevas galerías, descubriendo así el sistema de cuevas conectado e inundado más largo del mundo: un paraíso de 153.599 metros para los buceadores especializados en cuevas.

Ciertos cenotes están muy ocultos en la jungla, por lo que sólo se llega a ellos tras duras expediciones. En cambio, es fácil visitar algunos de las idílicas aguas en torno a Playa del Carmen, en la costa noroeste, así como otros ubicados cerca de Tulum, más al sur. Diversas bases de buceo ofrecen excursiones guiadas a estos destinos. Considérese que sin formación especial en cuevas, sólo se puede bucear en la zona de luz diurna.

Las cuevas más conocidas están al sur de Playa del Carmen. En el cenote Chac-Mool, los rayos del sol crean espectaculares atmósferas. Los cenotes Ponderosa y Taj-Mahal no están lejos de allí. Ambos son también muy apropiados para hacer esnórquel y tienen una profundidad máxima de 14 metros.

Situado al nordeste de Tulum, Dos Ojos debe el nombre a sus dos entradas. Las maravillosas estalactitas pueden admirarse ya a la entrada. Hay que abonar una tarifa para acceder a la mayoría de las cuevas. Lo mismo sucede en el Gran Cenote, una de las grutas más hermosas del entorno. Está cerca de Tulum y también es ideal para hacer esnórquel. Cenote Calavera está impregnado de ambiente místico. Actun Ha está poblado de peces. Cenote Cristal se muestra

hermosamente revestido y ofrece una visibilidad casi ilimitada. El sensacional Tuhx Cubaxa está oculto en medio de la jungla y en sus galerías profundas se hallaron dientes de elefantes primitivos.

Waikoropupu Springs

EN EL NORTE DE LA ISLA SUR DE NUEVA ZELANDA SE ENCUENTRA EL MANATIAL DE AGUA DULCE MÁS GRANDE Y POPULAR DEL PAÍS. DEBIDO A QUE LA VISIBILIDAD ALCANZA EXACTAMENTE 62 METROS, SUS AGUAS SON CONSIDERADAS DE LAS MÁS TRANSPARENTES DEL MUNDO.

Desde hace algún tiempo, los maoríes, los habitantes autóctonos de Nueva Zelanda, están preocupados ya que Huriawa, el espíritu del agua, es molestado en su descanso por los turistas. Según sus creencia, él habita y vigila el más noble de los manantiales: Waikoropupu Springs. Las claras aguas son una verdadera atracción y hoy se recomiendan en cualquier guía, lo que ha convertido el lugar sagrado de los maoríes en un lugar muy concurrido.

Nadie que viaje a Nueva Zelanda debe perderse este cristal de aguas azuladas y aturquesadas con los incontables tonos verdes de la flora acuática. La zona era antes propiedad privada, pero puede visitarse desde que se convirtió en parque nacional en 1977. En temporada alta hay que hacer cola para poder sumergirse y observar bajo la superficie del agua durante un máximo de 15 minutos. Las condiciones son estrictas, el número de personas y el tiempo de buceo están limitados y cada visitante debe inscribirse en un libro a la entrada. No se sabe exactamente durante cuánto tiempo seguirá esto así, ya que los maoríes quieren bloquear la entrada de los buceadores a los manantiales.

El agua de la fuente principal brota a mucha presión desde una grieta de siete metros de profundidad. Salen de 7 a 21 metros cúbicos por segundo. El agua viene del Takaka River, situado a 16 kilómetros. Tras filtrarse, puede tardar 10 años en salir. Su extrema claridad se debe a la acción de filtros naturales y un sistema

Waikoropupu Springs ●

de túneles artesiano. La dolina principal mide sólo 42 metros de diámetro. Con espejos y técnica láser se ha medido una visibilidad horizontal de 62 metros. La temperatura de 11,7 grados centígrados se mantiene constante todo el año.

Diversos musgos prosperan en el fondo junto a nomeolvides de agua. Los berros se elevan hasta la superficie y en la orilla crecen juncos e incluso hierba roja. En grietas se esconden algunos crustáceos de agua dulce y hay pocos peces. Si uno se queda muy quieto, el jardín acuático se refleja en la superficie del agua, creando un escenario fantástico.

Varios metros bajo la fuente hay otras salidas de agua cristalina en una superficie arenosa pero no son tan profundas. El agua brota permanentemente. Se forman pequeños volcanes de arena y parece como si la arena bailara salvajemente. Por esto, los maoríes llamaron «Dancing Sands» a este insólito biotopo. Estas fuentes son demasiado pequeñas para los buceadores y no son accesibles, por lo que la atracción sólo puede contemplarse desde arriba.

Página contigua: Dolina del manantial

Arriba: Como bucear en un invernadero

Abajo: Maravillosas plantas en aguas cristalinas

....

97 **FICHA**

❖ **Profundidad:** 1-7 m

❖ **Visibilidad:** 62 m

❖ **Temperatura del agua:** 12 °C

❖ **Mejor época del año:** nov.-mayo

❖ **Dificultad:** ◼

❖ **Diversidad de corales:** –

❖ **Diversidad de peces:** ◼

❖ **Peces grandes:** –

❖ **Pecios:** –

❖ **Cuevas:** –

❖ **Paredes:** –

❖ **Buceo con esnórquel:** ◼ ◼ ◼ ◼ ◼

....

Rin

EL ALTO RIN Y EL RIN SUPERIOR OFRECEN NUMEROSOS Y EMOCIONANTES PUNTOS DE INMERSIÓN. EN LA ZONA DEL SUR DE BADEN HAY UNA REGIÓN DE BUCEO FASCINANTE EN LA QUE ESTÁN REPRESENTADAS TODA LA FLORA Y LA FAUNA DE LAS AGUAS DULCES MÁS FRÍAS.

Con una longitud de 1.320 kilómetros, el Rin, que nace en Suiza y desemboca en el mar del Norte, es una de las vías fluviales más transitadas del mundo. El río tiene reservadas algunas sorpresas para los buceadores en la región limítrofe de Suiza, Francia y Alemania.

El lago de Constanza, por el que fluye el Rin, es una heterogénea y exigente región de buceo con paredes y pecios. Por eso se han establecido algunas bases de buceo en la zona. Pueden hacerse excelentes inmersiones en los siguientes tramos del río correspondientes al Alto Rin y al Rin Superior, entre Schaffhausen y Estrasburgo, así como en los manantiales cercanos.

Para bucear en ríos, hay que atenerse a unas reglas especiales e informarse bien de las entradas y salidas, los peligros existentes, las disposiciones legales y las áreas protegidas. Por otro lado, las inmersiones no son recomendables tras días de lluvia, ya que el agua está muy turbia.

Hay un lugar de inmersión muy popular junto al puente fronterizo de Rheinau, donde se puede entrar en la corriente tanto en la parte alemana como en la suiza. Bajo el aliviadero se ven río abajo diversos peces jóvenes entre plantas en las capas profundas. Bajo el puente, donde la profundidad varía entre cuatro y seis metros, hay bloques de piedra entre los que se ocultan acerinas, percas, gruesas anguilas y pesados siluros. Después del puente fronterizo se puede bucear a lo

Rin ●

❖ **Profundidad:** 1-10 m

❖ **Visibilidad:** 3-30 m

❖ **Temperatura del agua:** 8-24 °C

❖ **Mejor época del año:** marzo-nov.

❖ **Dificultad:** ■–■■■

❖ **Diversidad de corales:** –

❖ **Diversidad de peces:** ■■■■

❖ **Peces grandes:** ■■■

❖ **Pecios:** ■■■ (lago de Constanza)

❖ **Cuevas:** –

❖ **Paredes:** ■

❖ **Buceo con esnórquel:** ■■■■■

largo de una pequeña pared rocosa situada en el punto más profundo, a 9 o 10 metros. Los árboles y ramas están decorados con algas.

Ellikon está varios kilómetros río abajo. Aquí se entra en el agua por debajo del aliviadero desde la parte suiza. Hay que tener cuidado con las contracorrientes y respetar las señales de prohibición. Si uno se deja llevar por la corriente unos 50 minutos, puede ver muchas anguilas, así como carpas y ágiles tímalos. La *Guía de buceo suiza* incluye información importante sobre otros muchos lugares de la zona.

En el sur de Baden y en Alsacia hay manantiales cerca del antiguo lecho del Rin en los que sale agua clara y poco nutritiva del fondo a ocho grados centígrados. Los maravillosos ambientes evocados por la flora acuática parecen acuarelas. Las «aguas azules» de Blauwasser, de tres metros de profundidad máxima, son pequeñas odas a la naturaleza y forman insólitos biotopos que suelen estar protegidos. Grandes lucios acechan a los peces no predadores entre una fabulosa flora. Cuando la luz del sol se retira, se crea una atmósfera encantadora.

Página contigua: Enorme lucio, la barracuda de las aguas dulces

Arriba: Buceador en uno de los manantiales del antiguo lecho del Rin

Abajo: Una anguila de río observa desde su escondite

Verzasca y Maggia

SUIZA PRESENTA UNA AMPLIA OFERTA DE ATRACCIONES PARA LOS BUCEADORES: LAGOS, RÍOS Y ARROYOS DE MONTAÑA PROMETEN EXPERIENCIAS MUY ESPECIALES. BUCEAR EN LOS CRISTALINOS JARDINES DE PIEDRA Y BAJO LAS CASCADAS DEL TESINO ES UN VERDADERO DESAFÍO.

Verzasca y Maggia ●

La Confederación Helvética tiene mucho que ofrecer bajo el agua. Además de los paraísos de buceo de agua dulce que forman los ríos Verzasca y Maggia en el Tesino, en Suiza hay 1.484 lagos naturales y 44 artificiales, así como profundas pozas en los arroyos de montaña.

Los dos valles más hermosos que el agua ha ido formando durante millones de años en este entorno salvaje son los de Verzasca y Maggia, situados por encima el Lago Maggiore, en Locarno. En los ríos se forman remansos entre tramos de corrientes intensas. Los muchos lugares de inmersión fueron marcados por la Asociación de Buceo Suiza y, en temporada alta, están algo abarrotados los fines de semana. Normalmente hay aparcamientos cerca.

Los buceadores deben a veces caminar un poco o escalar en los tramos rápidos de los arroyos. Por eso, hay que tener experiencia, estar en buena forma física y considerar determinadas reglas. Es necesario valorar las situaciones de riesgo y reconocerlas a tiempo. Las inmersiones con la crecida de las aguas y el consiguiente aumento de la corriente están prohibidas y es imprescindible informarse del tiempo. Antes de entrar en el agua, hay que inspeccionar también el recorrido y tener claro dónde está la salida o marcarla.

Quien bucee con equipo o practique esnórquel en los dos ríos, quedará muy impresionado por su encanto, que reside sobre todo en la transparencia del agua que brilla en tonos verdes y azules. Al mediodía se crea una maravillosa atmósfera cuando el sol penetra en las estrechas gargantas y hace resplandecer los cristales de roca. Los cañones sumergidos y las pesadas rocas redondas y lisas de cuarzo, granito, feldespato y mica tienen extraordinarios dibujos rayados.

Hay que tener cuidado con los rápidos o las cascadas, donde bailan las truchas de río, ya que bucear aquí puede ser muy peligroso. En las zonas más tranquilas de la orilla se ven gobios, ranas e incluso salamandras. Los reflejos de la superficie del agua evocan formas encantadoras y surrealistas, un verdadero sueño para fotógrafos y cámaras submarinos.

En el valle del Verzasca, los lugares más famosos están en el puente romano, el Pozzo delle Posse, el Pozzo della Misura y la cascada de Frasco. En el valle de Maggia, destacan las inmersiones en el pueblo de Ponte Brolla, en algunos lugares detrás del puente del ferrocarril, en la garganta del Lobo y en las altas regiones de Fusio.

Página contigua: Buceando bajo el puente romano en el valle del Verzasca

Arriba: Las truchas de río son típicas de estas regiones salvajes

Centro: La corriente intensa de un torrente

Abajo: Buceador bajo una cascada

99 FICHA

- ❖ Profundidad: 1-14 m
- ❖ Visibilidad: 10-30 m
- ❖ Temperatura del agua: 7-18 °C
- ❖ Mejor época del año: junio-oct.
- ❖ Dificultad: ■-■■■■■
- ❖ Diversidad de corales: –
- ❖ Diversidad de peces: ■■
- ❖ Peces grandes: –
- ❖ Pecios: –
- ❖ Cuevas: ■■
- ❖ Paredes: ■■
- ❖ Buceo con esnórquel: ■■■■

Fernsteinsee y Samaranger See

LOS DOS LAGOS DE MONTAÑA DEL TIROL OFRECEN UNA FABULOSA VISIBILIDAD Y UN PAISAJE ACUÁTICO DE ENSUEÑO, QUE SEDUCEN INCLUSO A LOS BUCEADORES DE AGUAS TROPICALES.

Fernsteinsee y Samaranger See

Quien desee bucear en los lagos de montaña de agua cristalina, disfrutará de un país encantado bajo el agua, del grandioso paisaje de la reserva natural en Fernpass y de una estancia en un hotel-castillo. Dada la excesiva afluencia de buceadores, se superaron los límites ecológicos de los lagos, que están en manos privadas. Por esta razón, desde hace algún tiempo sólo pueden bucear en ellos los clientes del hotel.

Se requiere algo de experiencia pero lo principal es mantener un control exacto de la posición, ya que levantar el sedimento levantado dañaría la flora acuática y destruiría las delicadas algas que cubren de forma sorprendente los árboles y las ramas hundidos. En el centro del Fernsteinsee, que mide unos 450 centímetros de diámetro, hay una isla con un castillo en ruinas. En el lago verde turquesa viven truchas y salvelinos.

El Samaranger See, más pequeño y frío, es un encantador lago de color azul acero con una increíble transparencia. Revestidos de fantásticas algas, en el fondo yacen enormes troncos de árboles dispuestos como los palillos chinos del mikado. Si uno se sumerge en el centro del lago, disfrutará de una espectacular vista panorámica de 360 grados de toda la orilla.

Izquierda: Los troncos que yacen en el fondo del Samaranger See recuerdan a los palillos chinos del mikado

Derecha: Algas de textura algodonosa

---

100 FICHA

- ❖ **Profundidad:** 1-17 m
- ❖ **Visibilidad:** 15-50 m
- ❖ **Temperatura del agua:** 4-18 °C
- ❖ **Mejor época del año:** abril-oct.
- ❖ **Dificultad:** ▪
- ❖ **Diversidad de corales:** –
- ❖ **Diversidad de peces:** ▪▪
- ❖ **Peces grandes:** –
- ❖ **Pecios:** –
- ❖ **Cuevas:** –
- ❖ **Paredes:** –
- ❖ **Buceo con esnórquel:** ▪▪▪